D1632004

UNE France VUE DU CIEL

Yann Arthus-Bertrand – Patrick Poivre d'Arvor

Légendes écrites et propos recueillis par Catherine Guigon

Toutes les photographies sont de Yann Arthus-Bertrand à l'exception de celles des pages 125, 130 (Claudius Thiriet) et des pages 252, 262, 264, 296, 310 (François Jourdan), agence Altitude.

Éditions
de La Martinière

À Solenn, Tiphaine et Garance, vues du Ciel

Cher pays de mon enfance

Ciel de France, ciels français. France plurielle, multiple, chahutée comme ses côtes, tourmentée comme ses reliefs. La France vue du ciel, c'est un pays de cocagne, celui que survolent les grands oiseaux migrateurs qui ne peuvent s'empêcher d'y faire escale, tant l'étape est douce. C'est aussi celui que contemplent les dieux, qui se confondent bien souvent avec les cieux. À ce que l'on dit, leur regard est indulgent et l'histoire, malgré ses fracas, leur donne plutôt raison. « Heureux comme Dieu en France », disait Goethe. Nous ne saurions le lui reprocher.

Pourquoi ce pays, quand il est photographié par Yann Arthus-Bertrand, donne-t-il à ce point l'image du bonheur et pourquoi ses habitants, quand on les interroge, semblent-ils se plaindre de tout ? La première réponse, la plus évidente, tient à la distance du regard. Vu de loin, tout paraît toujours plus beau et, vu de haut, toujours plus harmonieux. C'est la hauteur de vue qui fait le charme des photos de Yann et qui leur confère cette noblesse. Et il ne suffit pas de prendre de l'altitude en hélicoptère, en avion, en planeur, en ballon ou sur les ailes d'une mouette pour trouver cette hauteur de vue, il faut avoir la grâce et le talent de capturer en une image l'âme d'un pays. Or cette âme-là est angoissée et les vagues noires qui s'échouent sur elle valent autant pour la comprendre que sa face lumineuse. C'est là qu'on touche à la deuxième explication possible de cette apparente contradiction, ce mélange bien français de fascination et de répulsion face au bonheur.

Le Français fait semblant de ne pas s'aimer, ou plutôt de ne pas aimer ses compatriotes, or il s'adore secrètement. Ce n'est pas par hasard qu'il s'est choisi le coq pour symbole sportif. Il aime à lisser ses plumes et à les contempler, à faire le fier dans la basse-cour au milieu de ses poules et à pousser de temps à autre un cocorico qui se veut l'orgueil d'une nation. Mais si vous l'approchez, il se rebellera, à peine courtois, et passera son chemin. Nombre d'étrangers nous le reprochent à juste titre. Les mêmes ajoutent que lorsque l'on gagne la confiance des habitants de cette belle contrée, ils se montrent aimables et serviables.

Or, en tant que membre d'une communauté, le Français n'existe guère, sauf hors de brèves manifestations de joie et de fierté. Et en dehors bien sûr de ces rares moments – une dizaine par siècle tout au plus – où des circonstances dramatiques l'obligent à faire face, à faire front commun. Et c'est dans ces moments-là, de l'avis de tous, que sa bravoure est légendaire : guerres, épreuves, révolutions, révoltes, à un rythme que peu d'autres pays au monde ont connu. Le Français n'existe pas parce que les habitants de France sont eux-mêmes multiples. Ne parlons même pas du brassage des peuples qui s'est accéléré ces dernières décennies (immigration italienne et polonaise dans l'entre-deux-guerres, espagnole dans les années 1940, portugaise ensuite, et aujourd'hui nord-africaine ou ouest-africaine), évoquons simplement cette juxtaposition de terroirs qui fait la singularité de ce territoire.

Naguère quand on était né hors de Paris, c'est mon cas, pas celui de Yann, on disait qu'on était provincial. Le snobisme de la capitale aidant, le mot, revu par les cuistres, est devenu détestable. On n'habite donc plus en province – mot pourtant assez juste qui nous venait des Romains – mais en région. C'est la même chose, mais c'est plus chic. Et là, deuxième catastrophe, les technocrates débarquent. Nous sommes au début des années 1960. Ils nous prennent nos 555 000 kilomètres carrés, peuplés à cette époque de 55 millions d'individus, pur hasard d'harmonie, et ils nous les découpent en vingt et une régions. Pourquoi pas vingt, c'eût été un compte rond, ou trente, ou cinquante, ou cinquante-cinq ? Mystère. Et comme les Corses, bien avant Pascal Paoli ou Napoléon Bonaparte, savent depuis toujours faire danser Paris, ils montrèrent les dents. On rajouta donc une vingt-deuxième région. Ils montrèrent encore les dents quelques années plus tard. Qu'à cela ne tienne : on divisa en deux cette île si homogène et peu peuplée pour fabriquer deux départements et une région en un seul territoire, avec préfectures et *tutti quanti*. Les Corses ont eu bien tort de ne pas réclamer un troisième ou un quatrième département, on le leur aurait accordé. Ce n'est pourtant pas à ces arguties administratives qu'on reconnaît la noblesse d'une terre. Celle de ses habitants, de leur culture et de leur histoire parle pour eux, elle est d'essence authentique. Et la Corse vue du ciel est à jamais l'île de Beauté que vantent tous ses visiteurs.

Après la Corse, la Guadeloupe. C'était aussi une île, ce devint un département. Là encore, ça ne suffisait pas. On en fit donc une région, comme la Martinique, la Guyane, la Réunion, microterritoires semés au hasard des tropiques. Nous voilà donc maintenant à vingt-six régions, qui n'ont plus guère à voir avec le sens commun hérité de nos ancêtres. Et c'est parce que ces îles lointaines, départements ou territoires comme la Polynésie ou la Nouvelle-Calédonie ont leur propre spécificité, qu'on ne les retrouvera pas dans ce livre. Ils méritent un ouvrage à eux seuls.

Prenons maintenant le cas des Bretons, bien présents dans ce livre, peut-être à cause des origines des deux auteurs... Nantes ne fut-elle pas capitale des ducs de Bretagne ? Où donc est née la belle Anne qui fut il y a sept siècles la cause du rattachement de la Bretagne à la France ? Les habitants du pays de Guérande qui, pour certains, parlent encore breton méritaient-ils de se voir basculés en Pays de Loire alors qu'ils se sentent plus proches de l'océan que du plus grand fleuve français ? Tant pis, la Loire-Atlantique n'a pas été considérée bretonne par les technocrates. Les sondages, les pétitions, les prises de position des Bretons les plus éminents comptent pour du beurre. Salé, encore heureux... Encore la Bretagne a-t-elle sa région. Mais le Pays basque, si proche de son cousin espagnol ? Et la Catalogne française ? Et la Savoie, rattachée depuis à peine un siècle et demi à sa grande sœur française ? On pourrait multiplier les exemples de tant d'absurdités. Cela ne suffisait pas. On s'ingénia à créer deux Normandies. Mais qu'est-ce qui peut bien différencier un Haut-Normand d'un Bas-Normand ? Inventer une région Centre, qui n'a de centre que celui du vide de ses concepteurs. Sommer les Carolomacériens (habitants de Charleville-Mézières) de se sentir frères des Bragards (habitants de Saint-Dizier) pour les besoins de la création d'une région Champagne-Ardenne et d'un néologisme : les Champardennais. Obliger les Poitevins, les Angoumois et les Rochelais à s'appeler Picto-Charentais, et pire encore, les natifs de Marseille, de Toulon, de Nice, Avignon, Digne et Gap, bref de l'une des plus belles régions du monde, à se parquer en PACA et bientôt peut-être rebaptiser le Languedoc-Roussillon en Septimanie ?
Non, décidément, c'est du ciel qu'il faut voir la France parce que de tout là-haut, on ne voit ni ligne jaune ni délimitation artificielle. Quand on a la chance, comme j'ai pu le faire, de voler avec Yann, on perçoit en revanche, imperceptiblement, les évolutions du bâti, des toits, des bocages, des talus, des bois et des forêts. C'est tout cela qui fait l'essence d'une nation : cette juxtaposition de terroirs, de « pays » comme l'on dit justement dans les Combrailles ou dans le Trégor. Une addition d'une centaine de petits territoires qui font la richesse de notre pays. Il faut lire les pages locales des grands quotidiens régionaux, alimentées avec ferveur par des journalistes dits « localiers » ou par des correspondants de presse, pour comprendre ce qu'est la fierté de toutes ces mini-régions. Et quand on s'y rend sur place, par exemple pour dédicacer ce livre ou un autre, quel accueil, quel sentiment flatteur de reconnaissance, et non de condescendance... Voilà la France que nous aimons, pas celle qu'on a redessinée dans d'obscurs bureaux parisiens, pas celle qu'on mène par le bout du nez à force de règlements et de décrets...
« Douce France, cher pays de mon enfance », chantait Charles Trenet. Je ne suis pas sûr qu'elle soit si douce que cela, la France, sauf encore une fois vue du ciel. Elle n'est ni plate ni dentelée, ni aride ni ardue, elle est incroyablement douce même lorsqu'on ne considère que ses reliefs. La palme de la douceur des coteaux étant peut-être emportée par le Gers. Promenez-vous un peu en montgolfière entre Castet-Arrouy et Miradoux, à l'heure où les tournesols se penchent pour vous saluer, et vous comprendrez pourquoi Tony Blair, gentilhomme de cette douce Albion qui aime la mesure en toutes choses, avait coutume d'y passer ses vacances avant d'être attiré par la Toscane, avec laquelle on ne peut rivaliser...
Si le Gers mérite de monter sur la plus haute marche du podium pour l'harmonie de ses arrondis, si la Côte d'Azur mérite celle du climat, c'est la vallée de la Loire qui détrône tous ses concurrents en matière de douceur de vivre. Ah ! la douceur angevine chère à Ronsard et à du Bellay, cette exquise manière de vous faire fleurir les roses et de vous les flétrir, le temps d'un amour qui se fane... Incontestablement, la Loire, le plus français des fleuves, représente la ligne de partage idéale des deux France, celle du Nord et celle du Sud. Si on le qualifie de plus français, c'est que c'est le plus long, le mâle orgueil y trouvera son compte, le plus imprévisible, le plus paresseux par moments, le plus sec comme un cœur en hiver, le plus dangereux parce que inattendu, le plus riche en histoire si l'on en juge par le nombre de ses châteaux royaux. Mais c'est aussi parce que, dès sa naissance sur le mont Gerbier-de-Jonc, il hésite entre le Nord et le Sud. Il pourrait choisir d'aller se jeter dans la Manche, comme la Seine dont la source n'est pas si éloignée de la sienne, ou en Méditerranée, comme le Rhône qui, un moment, suit parallèlement son cours, eh bien non, il va finir ses jours dans l'Atlantique. Un tracé sur le papier presque horizontal mais, sur le terrain, des plus compliqués car le relief ne l'aide guère à trouver sa ligne de pente naturelle. Voilà pourquoi il ressemble au caractère de ce pays rebelle en apparence si policé.
De chaque côté de la Loire, donc, deux France, presque aussi peuplées l'une que l'autre mais radicalement différentes. Celle du Nord s'est de tout temps tournée vers l'Allemagne et plus rarement vers l'Angleterre ; elle s'est longuement battue – presque un millénaire – avec ces deux voisins encombrants mais admirés. Celle du Sud, elle, a fait pousser ses racines vers l'Espagne et l'Italie. Hasard de l'histoire ou miracle de la démographie, ces cinq pays sont aujourd'hui presque équivalents en termes de population. Ce sont aussi les plus peuplés des quarante nations européennes et ils sont le socle de cette Europe qui se construit patiemment et péniblement pour pouvoir un jour peser face aux États-Unis et à la Chine.

La France se retrouve donc écartelée entre ces quatre autres puissances qui l'attirent comme des aimants. Elle a beau s'être dotée de barrières qui n'ont rien d'artificiel, les Pyrénées, les Alpes, le Jura, le Rhin, la Manche, elle s'est doucement laissée aspirer par leurs influences, tout en filtrant celles qui ne lui convenaient pas. Elle s'est donc dotée de chalets dans les Alpes, de colombages en Normandie et en Alsace, de crépi ocre et rose en Provence, de rouge sang de bœuf au Pays basque. Et vu du ciel, toute frontière étant abolie, le territoire français semble encore beaucoup plus vaste. À nous le Val-d'Aoste, la Suisse romande, la plaine orientale du Rhin et l'outre-Quiévrain…

Ne réveillons pas ces querelles de clocher. Les nôtres sont déjà assez clochemerlesques. Elles font d'ailleurs tout le charme de ce que l'on appelle « la vie de pays » : les rencontres de rugby ou de football entre bourgs distants d'à peine deux lieues, les fêtes de village où l'on vient séduire les filles de celui d'à côté, les concours de toute sorte, de la pétanque à la plus jolie miss, les majorettes, les harmonies municipales, les pompiers, la plus vieille église, le vin le plus goûteux, le fruit le plus sucré, la rivalité Reims-Épernay pour le sacre de capitale de la Champagne… Le temps d'une rencontre sportive ou d'un bal populaire, on se croit le centre du monde, on crie, on s'invective, on s'invente des tragédies de pacotille, catharsis collectives où l'on a la prétention de mettre en jeu sa raison d'être, ses amours, ses racines, sa vie tout court. C'est toute l'alchimie de ce pays fusionnel et confus, attiré par la mort et fiancé de la vie. Il faut avoir vu, un soir de match de football sur terrain neutre à Rennes, les files de voitures de supporters se séparer sur la rocade, qui vers Nantes, qui vers Guingamp. Ils sont tous bretons et pourtant, le temps d'un derby, ils se sont sèchement affrontés, parfois injuriés, presque niés les uns les autres. Et à vingt-trois heures leur destin a rebasculé. Ils s'en sont retournés de par chez eux, par files de 44, par files de 22, ils se sont refait le match dans la voiture et ils sont allés dormir là où leur père les a conçus, là où leur grand-père profite de sa retraite, là où leur arrière-grand-père repose.

Et pourtant le soleil qui les réveillera le lendemain sera le même pour tous, comme le quotidien sur lequel ils se jetteront au café. Mais le titre de la presse locale des Côtes-d'Armor ne sera pas le même que celui de Loire-Atlantique. Peu importe que ces journaux appartiennent désormais au même groupe, il en va de ces entités comme des groupes sanguins : on est fier de son A, de son B ou de son O, de son négatif et de son positif. Voilà à quoi ressemble ce pays : à une pile avec un plus et un moins, des contraires qui s'attirent et, au milieu, une formidable énergie.

Celle de ce pays n'est ni nucléaire, ni pétrolière – tout juste quelques bidons dans le Sud-Ouest, en Alsace ou dans le Bassin parisien –, ni même hydroélectrique, si l'on excepte l'usine marémotrice de la Rance et quelques barrages sur les grands fleuves. Elle est d'abord tellurique, au sens premier du terme. Quand on la regarde d'en haut, on a le sentiment que de son centre, le Massif central, la France est irriguée par des milliards de veinules venues des entrailles de la Terre. Songeons que l'activité de la chaîne des Puys, commencée il y a plus de cent mille ans, ne s'est interrompue qu'il y a sept mille ans. Une paille… Et d'abord a-t-elle cessé pour de bon ? À l'échelle des temps géologiques, bien difficile de répondre définitivement.

Il y a donc en notre cœur un peu de lave qui sourd encore et qui ne demande qu'à s'épancher pour peu que l'occasion lui en soit donnée. C'est peut-être ce qui nous rend si irritables, sous pression et soupe au lait. On retrouve la trace de cette énergie tellurique dans tous les sols de nature granitique, que ce soit en Bretagne, en Corse ou en Alsace. Le Massif central appartient d'ailleurs, comme le Massif armoricain, les Ardennes ou les Vosges, au socle hercynien. C'est lui qui distribue harmonieusement l'écoulement des eaux vers les quatre bassins cardinaux de ce pays : la Seine, au nord, la Loire, au nord-ouest, la Garonne, au sud-ouest, et le Rhône, à l'est.

Ce que nous dit le ciel quand il regarde la France, c'est qu'elle est aux quatre cinquièmes faite de collines, de plaines, de plateaux et de moyenne montagne. Et qu'elle est joliment circonscrite dans ses frontières naturelles, enracinée par sa face orientale dans le vieux continent européen, et prête par sa face ouest à affronter comme un navire les furieux assauts des océans.

Ce que nous apprennent les observations météorologiques, c'est que, située à égale distance de l'équateur et du pôle Nord, la France est habituellement baignée par un climat tempéré. Mais que la rencontre des masses d'air maritime et continental, polaire et tropical, engendre localement bien des nuances qui expliquent les fameux « microclimats » dont se vante le moindre des offices de tourisme.

Ce que nous enseignent enfin les atlas, c'est que la France est le plus vaste pays d'Europe après la Russie, mais n'en occupe que le cinquième rang sur le plan démographique. Elle n'abrite qu'un habitant sur cent dans le monde (dix-septième rang). Sa densité de population est relativement faible par rapport à ses proches voisins : Royaume-Uni, Allemagne, Belgique, Pays-Bas ou Italie. Les grandes zones urbaines se concentrant essentiellement dans les vallées du Rhône et de la Loire, le Nord, la côte méditerranéenne et bien sûr le Bassin parisien à l'intérieur d'un cercle dont les rayons s'étendent jusqu'à Rouen, Orléans et Reims.

« Cébolafrance », m'a dit un soir Yann en m'envoyant un SMS que lui avait inspiré une correspondance d'amoureux sur la vaste baie du Mont-Saint-Michel. Toute la journée, en hélicoptère, nous n'avions cessé de nous frotter les yeux devant tant de merveilles sur la côte nord de la Bretagne.

Or, ce qui est beau en France, vue du ciel, c'est ce que les géographes appellent son harmonie euclidienne : trois façades maritimes (3 100 km de côtes), trois frontières terrestres (2 100 km), aucun point du territoire à plus de 400 km d'un littoral. À l'ouest de la diagonale qui va de Forbach à Biarritz, la quasi-totalité du pays ne dépasse pas les 200 m d'altitude (à l'exception de quelques petits sommets bretons qui n'arrivent pas à atteindre le double de cette hauteur). À l'est de cette ligne droite, les montagnes couvrent un quart du sol et le mont Blanc ne se contente pas d'être le plus grand sommet de France : c'est aussi le plus haut d'Europe. C'est pourquoi nous l'avons photographié dans ce livre sous toutes ses coutures, sous toutes ses couleurs, en rose et en blanc.

Interrogeons maintenant les géologues. Ils nous expliquent que cette diversité du relief est le fruit d'une des histoires les plus riches du monde. Et il faut les écouter pour comprendre la beauté de ce pays vu d'en haut. Les reliefs anciens, nous disent-ils (Massif central, Bretagne, Ardennes, Alsace-Lorraine), nous viennent d'un plissement qui dura plusieurs dizaines de millions d'années pendant le carbonifère. Vinrent ensuite les phénomènes naturels de l'époque tertiaire : cassures, déformations, effondrements et bien sûr érosion. Quant aux bassins sédimentaires, qui eux aussi remontent au primaire (Bassins aquitain et parisien), ils sont formés de couches régulières qui nous modèlent collines, plaines et plateaux. Tout ceci n'est pas sans incidence sur le relief des façades maritimes. Les massifs anciens de roche dure, comme le Massif armoricain, lorsqu'ils s'achèvent dans les eaux, engendrent ce littoral tourmenté, propre à la Bretagne ou à la Corse, ces furieuses épousailles entre la mer et la terre. En revanche les plaines se prolongent par des côtes basses et sablonneuses, comme en Aquitaine ou en Languedoc, ou rectilignes et crayeuses, comme en Normandie. Et le rivage méditerranéen tire des Alpes ses hautes corniches et ses baies étroites et, à l'ouest du Rhône, doit sa physionomie aux lagunes et à leur cordon littoral. D'où cet étrange combat que nous avons immortalisé dans ce livre entre la mer et la terre ferme, entre le meuble et l'immeuble.

Voilà ce que nous démontrent les satellites et les statistiques. Mais si l'on se rapproche d'encore plus près, on découvre un pays incroyablement plus complexe. Et pour le comprendre, ce sont cette fois-ci les livres d'histoire qu'il faut consulter. L'on y apprend en premier lieu que ce terme d'hexagone dont on a affublé la France n'avait naguère pas grand sens. Il y manquait au moins un côté…

Commençons par les Romains qui appelèrent Gaule le territoire que nous connaissons aujourd'hui, mais agrandi de l'Italie du Nord, de la Belgique, de la Suisse et de la rive gauche du Rhin. Si l'on en croit les coutumes qui ont perduré et l'usage de la langue française aujourd'hui encore, ce sont sans doute eux qui étaient le plus dans le vrai mais, nous l'avons déjà dit, le temps n'est plus aux revendications territoriales…

À qui devons-nous notre civilisation ? À quoi devons-nous d'être ce que nous sommes ? À la conquête des Romains, répond l'académicien Jacques Bainville dans sa monumentale *Histoire de France*. « La guerre civile, le grand vice gaulois, livra le pays aux Romains. Un gouvernement informe, instable, une organisation politique primitive, balancée entre la démocratie et l'oligarchie : ainsi furent rendus vains les efforts de la Gaule pour défendre son indépendance. »

Le constat traverse les siècles : divisés, les Français perdent à coup sûr. Unis, ils sont invincibles. Mais ils ont la division dans le sang, comme la rébellion, et il est frappant de constater que, soixante-dix ans après l'analyse de Jacques Bainville, les choses n'ont guère évolué : la France est toujours *grosso modo* partagée très équitablement entre droite et gauche, comme les deux ventricules d'un même cœur. Quand la droite se divise, elle perd le pouvoir. Quand la gauche le fait, elle ne le garde pas. Et si ce pays a encore le goût de la démocratie, ses dirigeants ne détestent pas se comporter comme des monarques, reconstituant tout naturellement, au fil de leurs longs mandats, courtisans et nouveaux aristocrates.

Jacques Bainville poursuit son raisonnement : les Français, dit-il, n'ont jamais renié l'alouette gauloise et le soulèvement national dont Vercingétorix fut l'âme nous donne encore de la fierté. Les Gaulois avaient le tempérament militaire. Jadis leurs expéditions et leurs migrations les avaient conduits, à travers l'Europe, jusqu'en Asie Mineure (juste retour des choses, les Turcs frappent aujourd'hui à la porte de l'Europe, et les Français ne veulent que l'entrebâiller). Ils avaient fait trembler Rome, où ils étaient entrés en vainqueurs. Sans vertus militaires, un peuple ne subsiste pas mais elles ne suffisent pas à le faire subsister. Les Gaulois ont transmis ces vertus à leurs successeurs. L'héroïsme de Vercingétorix et de ses alliés n'a pas été perdu : il a été comme une semence. Mais il était impossible que Vercingétorix triomphât et c'eût été un malheur s'il avait triomphé.

Laissons à l'académicien la responsabilité de cette dernière assertion mais force est de constater que « si nous sommes devenus des civilisés supérieurs, si nous avons eu, sur les autres peuples, une avance considérable, c'est à la force que nous le devons ». La force de la conquête romaine, et celle d'une colonisation exceptionnellement assimilée.

Décidément, aujourd'hui encore, quand je regarde la carte de cette Gaule d'il y a deux mille ans, j'ai l'impression d'y retrouver celle de la France vue du ciel, toutes frontières abolies et toute honte bue. Ce vaste territoire était peuplé de Celtes et d'une multitude de tribus. Cette mosaïque de peuples, qui connurent grâce aux Romains un semblant d'unité, explosa dès que cessa la colonisation. Les invasions barbares eurent raison de ce ciment commun. Il faudra attendre le ve siècle et l'émergence du royaume franc, nous disent tous les livres d'histoire, pour que la Gaule devienne une authentique nation, autrement dit la France. Mais cette France des Mérovingiens, unifiée par Clovis, retombera dans ses travers ataviques et dans ses divisions. Et ce ne sera qu'au IXe siècle, avec le démembrement de l'empire de Charlemagne, qu'apparaîtra une première ébauche du royaume de France.

Vercingétorix, Clovis, Charlemagne, moustaches au vent ou barbe fleurie, chacun fait à l'autre la courte échelle pour élever la grandeur de ce pays mais à chaque fois, tout s'écroule et tout est à recommencer. Mille ans après l'arrivée des Romains, Hugues Capet, duc de France, et tout petit propriétaire de terres bien exiguës, est choisi comme souverain en 987 par une assemblée de seigneurs. Patiemment, ses successeurs, essentiellement Philippe Auguste, Louis XI, François Ier, Henri IV, Louis XIV et Louis XV, retrouveront, à force de conquêtes ou d'annexions, la France que nous avaient léguée les Gallo-Romains. Après bien sûr, il y eut Napoléon et un gros coup d'accordéon aux frontières mais le soufflet retombera rapidement et nous voilà à nouveau bien sur nos pieds comme il y a deux millénaires.

Il est vrai que, vue du ciel ou scrutée sur une carte, la France, réduite parfois à ce nom barbare d'Hexagone, semble solide sur ses assises. J'ai confiance en Perpignan et dans le Roussillon pour nous servir de point central d'ancrage. Confiance aussi dans le Pays basque et dans le Var pour assurer l'équilibre du bas. Et tout le reste est aussi harmonieux. La taille de notre guêpe se resserre-t-elle autour du lac Léman ? La façade atlantique lui répond très exactement sur le même parallèle, entre Vendée et Charentes. La Bretagne prend-elle ses aises en semblant humer l'océan, comme un nez le ferait pour capter les effluves du Nouveau Monde ? L'Alsace agit pareillement, à la même latitude, pour demeurer aux aguets. Et vérifier si à l'Est, décidément, rien de nouveau n'est à craindre, l'histoire nous ayant appris à rester sur nos gardes. Puis, de Strasbourg à Dunkerque, de Brest à Calais, le toit épouse la même pente, pour mieux nous protéger. Pas de doute, désormais, nous tenons bien sur nos appuis… Et les images de Yann parlent d'elles-mêmes : la France est solide, de la plus modeste de ses cabanes au plus imposant de ses monuments.

Un demi-siècle après Bainville, Georges Duby, un autre académicien de grande culture historique, nous rappelle qu'avec ses mille kilomètres du nord au sud, et de l'ouest à l'est, cette étendue harmonieuse reste bien petite sur la surface du monde : trente-septième de par la taille. Alors pourquoi ce rôle de premier plan aujourd'hui encore ? Il tient sa réponse : « Territoire remarquable par sa situation au cœur de cette Europe occidentale, deux fois berceau, à deux millénaires de distance, de civilisations d'importance et d'expansion mondiales. Territoire placé au carrefour des terres émergées, ouvert à toutes les entreprises, à toutes les aventures, par sa double appartenance de bloc terrien, largement rattaché au continent voisin, l'immense Eurasie, et d'espaces maritimes que viennent battre les flots de quatre mers, chemins de toutes les rives du monde. Territoire émouvant par la variété de ses paysages et de ses promesses, où l'on passe de la douce grisaille des polders nordiques à la lumière ciselante des caps méditerranéens, des plaines lourdes de blé aux plus grands glaciers d'Europe. »

« Territoire émouvant ». Voilà ce que je ne cesse de ressentir quand je le traverse à pied, à cheval ou en voiture, par la voie des airs, des mers ou du fer. À pied surtout, bien sûr. J'ai entrepris de suivre le chemin de Saint-Jacques-de-Compostelle de l'un de ses points historiques de départ, Le Puy, jusqu'à l'abbaye de Roncevaux en territoire espagnol, juste après la frontière. Tout n'est que beauté. Marcher sur le chemin, que ce soit de Vézelay, du Puy (*via Podiensis*), de Tours (*via Turonensis*) ou d'Arles (*via Tolosana*), c'est d'abord marcher vers le centre de soi, mais c'est aussi mettre ses pieds dans les traces de ses ancêtres. Voilà plus de quinze siècles que des générations cheminent ainsi sur les mêmes sentiers. Riches, pauvres, puissants ou misérables, en route vers le soleil éclatant du bonheur ou en fuite pour laisser derrière soi solitude ou désespoir. Peu importe la motivation ou la condition sociale, seul compte le chemin. Et de part et d'autre, le paysage.

Pour avoir roulé ma bosse dans bien des recoins de l'univers, avoir sans doute bouclé une centaine de tours du monde, je l'atteste : il n'y a pas de pays plus varié que la France, pas de diversités aussi confondantes. Chaque hectare est poli par l'homme, à son image, donc multiple. De lieue en lieue – unité de mesure plus parlante et plus exacte que le kilomètre –, on touche à la singularité de chaque paysage. La nature y est pour beaucoup, qui a ordonné, mais l'homme à chaque fois y a laissé son empreinte. Et comme le Français est belliqueux, rebelle à l'autorité et au suivisme, chaque lieu cultive sa différence. On ne saisit plus rien de tout cela quand on relie deux villes par avion, par TGV ou par autoroute. C'est à pied qu'il faut se déplacer pour s'extasier en remerciant ces millions d'anonymes, pour la plupart paysans, qui nous ont légué cette beauté et cette harmonie-là.

Raison de plus pour détester les irresponsables qui ont cru devoir nous construire après la guerre des châteaux d'eau laids comme des verrues ou, pire, des lignes à haute tension qui défigurent le paysage comme on déchire à coups d'ongle le visage d'une femme. Il en a fallu de la paresse, ou de l'arrogance, pour laisser édifier ces monuments de bêtise et de métal, sans penser un instant à ce legs infernal qu'on allait laisser à nos enfants et petits-enfants. Nos ancêtres nous ont offert des cathédrales, des églises ou de simples cabanes de pierre, des burons, comme en Lozère ou en Ardèche, sublimes dans l'épure. Et nous, nous ne sommes capables que de proposer à notre descendance des enchevêtrements de tôles et de câbles que rien, ni le temps ni les éléments, ne pourra arracher au sol dans lequel on les a fichés. Face à cette monstrueuse agression de pieux métalliques, c'est la terre de France qui saigne et c'est notre indifférence qui la tue, une seconde fois. Les Suédois, qui sont fort respectueux de la nature, ont enterré toutes leurs lignes, à haute ou basse tension. Or leur territoire est immense et souvent sous-peuplé. Ils auraient pu se croire autorisés à le saccager en catimini. Pas du tout. C'est à nous qu'ils donnent des leçons de savoir-vivre. Un arbre vaut un homme, il vit souvent plus longtemps que lui, la même sève l'irrigue. Et un tableau de Van Gogh vaut tout l'or du monde. Parce qu'il est et ce qu'il représente, bientôt, il faudra faire comme avec les photos staliniennes, ou comme avec celles de Sartre ou de Camus tenant une cigarette à la main : on effacera les paratonnerres, les antennes de télévision ou de téléphonie mobile, les châteaux forts d'électricité à haute tension, pour se donner l'illusion qu'on vit encore dans le plus beau pays du monde…

France sublime dans son moindre recoin, France lavande en Haute-Provence, jaune d'or en Bretagne au printemps grâce aux genêts et aux ajoncs, blanc cassé aux Baux-de-Provence ou sur les bords de la Durance, ocre à Roussillon, gonflée d'argile ou de sillons bruns lorsque arrive l'automne, vert d'eau en Sologne, vert pomme en Normandie, vert sombre en Alsace ou dans le Limousin. France arc-en-ciel parce que après la pluie vient toujours le soleil…

France d'espérance à Vézelay, du souvenir à Dunkerque, terre d'envol en Champagne, de souffrance en Lorraine, de gourmandise en Périgord ou en Bourgogne, de résistance dans le pays cathare, d'eaux mêlées en Brière, en Camargue, dans le Marais poitevin…

Et puis parfois cette terre fait front, au cap Gris-Nez, à la pointe de La Hague, à Penmarch, au raz de Sein face à la seule île qui ait le titre de Compagnon de la Libération. Cette terre résiste au Cap-Ferret aux assauts furieux des courants qui voudraient l'engloutir. Parfois ils l'ensablent, au Mont-Saint-Michel ou à Aigues-Mortes. Mais l'homme se rebelle, construit des digues ou des barrages ou se donne, comme à Rochefort, l'illusion qu'il vit encore en bord de mer en construisant l'*Hermione*, à l'image exacte de la frégate de La Fayette. Il invective la mer, l'apostrophe tel Lautréamont : « Vieil océan, tu es si puissant, que les hommes l'ont appris à leurs propres dépens. Ils ont beau employer toutes les ressources de leur génie… incapables de te dominer. Ils ont trouvé leur maître. Je dis qu'ils ont trouvé quelque chose de plus fort qu'eux. La peur que tu leur inspires est telle, qu'ils te respectent. L'homme dit : "Je suis plus intelligent que l'océan." C'est possible ; c'est même assez vrai, mais l'océan lui est plus redoutable que lui à l'océan. »

L'homme, dans son orgueil, se veut plus fort que les éléments. Il sait qu'il n'est là que pour cent ans tout au plus mais il tient à laisser son empreinte, à marquer son territoire, comme le font les loups. La nuit, il hurle à la lune. Et caché derrière l'astre blanc, Yann Arthus-Bertrand continue à le photographier…

Patrick Poivre d'Arvor

Double page précédente

• Le mont Blanc au soleil levant.
Mesurée en 1865 par le capitaine Mieulet en charge des cartes d'état-major, l'altitude du mont Blanc, le plus haut sommet d'Europe occidentale avec 4 807 m, semble désormais sujette à caution. De nouveaux calculs, effectués en 2001 à l'aide du système GPS par des géomètres experts de l'Institut géographique national (IGN), l'ont porté à 4 810,40 m. Après la canicule de 2003, des relevés en 500 points l'ont rabaissé à 4 808,45 m. Ce tassement serait provoqué par l'évolution du manteau glaciaire et par le passage des alpinistes toujours plus nombreux à s'aventurer à plus de 4 000 m.

En décollant de Val-d'Isère, bien avant le lever du soleil, il faisait –40 °C. Le vent soufflait et augmentait la sensation de froid. En approchant des cimes, avec la porte de l'hélicoptère grande ouverte, les films se cassaient quand je chargeais les appareils. Et puis tout à coup, le sommet du mont Blanc s'est éclairé, frappé par les premiers rayons du soleil. - YAB

Ici, le mont Blanc est on ne peut plus rose, de quoi rendre jaloux le mont Rose, à la frontière de l'Italie et de la Suisse ! Il est presque couleur chair. On dirait une sorte d'opération à cœur ouvert... - PPDA

***Double page** suivante*

• Ciel d'orage sur la vallée du Lot.
L'orage a éclaté sur les contreforts du Massif central, ennuageant le ciel autour de Saint-Géry, dans le Lot. Ce village de 300 habitants, fondé au VIIe siècle autour d'un monastère, se dresse dans un paysage vallonné d'où il domine la vallée du Lot. À proximité se trouve une église romane construite à Pasturac, un hameau accroché à la falaise.

Pages 16-17

• La place Charles-de-Gaulle, autrefois l'Étoile.
D'un diamètre de 840 m, à la limite des actuels VIIIe, XVIe et XVIIe arrondissements de Paris, la place de l'Étoile a été redessinée en 1854 par l'architecte Jacques Hittorff, adjoint du baron Haussmann, préfet de la Seine, qui bouscule les plans de la capitale. Douze avenues rectilignes débouchent sur la place, y formant une étoile. Des hôtels particuliers, ayant vue sur l'Arc de triomphe inauguré en 1836, y sont construits entre cour et jardin. Peu après la mort du général de Gaulle, en novembre 1970, la place de l'Étoile fut débaptisée, pour porter officiellement le nom du premier président de la Ve République.

En voiture, pris dans les embouteillages, il est impossible de comprendre pourquoi cette place s'appelle l'Étoile, et de voir ses avenues qui rayonnent... Alors que vu du ciel, c'est l'évidence. - YAB

Il y a deux siècles, ce n'était encore qu'une colline boisée. Et puis Napoléon est arrivé. Une étoile de généraux, de grognards et de victoires... - PPDA

Page de droite

• Du ski sur les terrils de Nœux-les-Mines.
L'ancien pays minier vire au vert. Les friches industrielles de Nœux-les-Mines, dans le Pas-de-Calais, ont fait l'objet d'une reconversion environnementale et, en 1996, l'un des terrils a été aménagé en piste artificielle de ski grâce à un immense paillasson en plastique bien arrosé pour faciliter la glisse. Depuis la fermeture des puits de charbon, en 1988 et après cent cinquante ans d'extraction, la région du Nord-Pas-de-Calais déploie ainsi des trésors d'imagination pour changer son image de marque. Quelque cent trente « crassiers » ont été reboisés et transformés en « poumons verts ». On peut y observer la faune et la flore, faire du parapente ou des courses d'orientation. La chaîne des Terrils attire désormais plus de vingt mille visiteurs par an.

Pages 14-15

• La spécialisation de l'agriculture, un phénomène régional.
Selon une étude publiée en 2002 par la Fédération nationale des syndicats d'exploitants agricoles (FNSEA), les exploitations agricoles sont aujourd'hui plus spécialisées qu'autrefois et certaines productions ont tendance à se concentrer sur certaines régions. Cette évolution a été particulièrement sensible entre 1988 et 2000, accentuant les différences entre les paysages régionaux. Quatre régions viticoles (Champagne-Ardenne, Aquitaine, Languedoc-Roussillon, Provence-Alpes-Côte d'Azur) concentrent ainsi les deux tiers des exploitations ; la moitié des élevages français dits « hors sol » se trouve en Bretagne et dans les Pays de Loire ; les grandes cultures, elles, se répartissent entre le Sud-Ouest et (comme ici) le nord du Bassin parisien.

Les machines agricoles forment des bottes de paille rondes alors qu'elles étaient autrefois carrées ce qui a complètement transformé les paysages. En plus, avec leur disposition totalement aléatoire on dirait une installation. Quant aux foins, recouverts d'une bâche en plastique, ils ressemblent à d'énormes marshmallows ! - YAB

Il faut avoir volé avec Yann pour comprendre la fascination qu'exercent les champs sur lui. Il rôde autour d'eux avec son hélicoptère comme un bourdon sur un carré de lavande. - PPDA

Pages 18-19

• Port-Grimaud, réussite architecturale du XXe siècle.
En contrebas du village médiéval de Grimaud, la cité lacustre de Port-Grimaud impose sa réussite dans le golfe de Saint-Tropez (Var). Conçu en 1966 par l'architecte François Spoerry, ce village aux couleurs ocre ou pastel et coiffé de tuiles romaines s'intègre à merveille dans les paysages méditerranéens. Construit sur 65 hectares, Port-Grimaud fait une place importante à l'eau qui occupe 42 % de l'espace contre 33 % pour les jardins et espaces verts et 25 % pour les immeubles. La cité compte 14 kilomètres de quais, et les maisons disposent d'un double accès, à pied ou en bateau. La renommée internationale de Port-Grimaud attire chaque année des milliers de visiteurs.

Ici, il n'y a pas de chemin des douaniers. Le village a été construit sur un immense marécage et tout le bord de mer appartient aux habitants de Port-Grimaud. Aujourd'hui, la loi sur le littoral le protège des privatisations et les plages font partie du domaine public. Port-Grimaud reste pour moi une vraie réussite confirmée par la patine que lui donne le temps. - YAB

Une adaptation réussie de l'architecture aux milieux marin et terrestre. C'est étrange de voir presque autant de bateaux que de maisons. L'ensemble donne l'impression de tentacules de pieuvre ou d'une grande anémone de mer. - PPDA

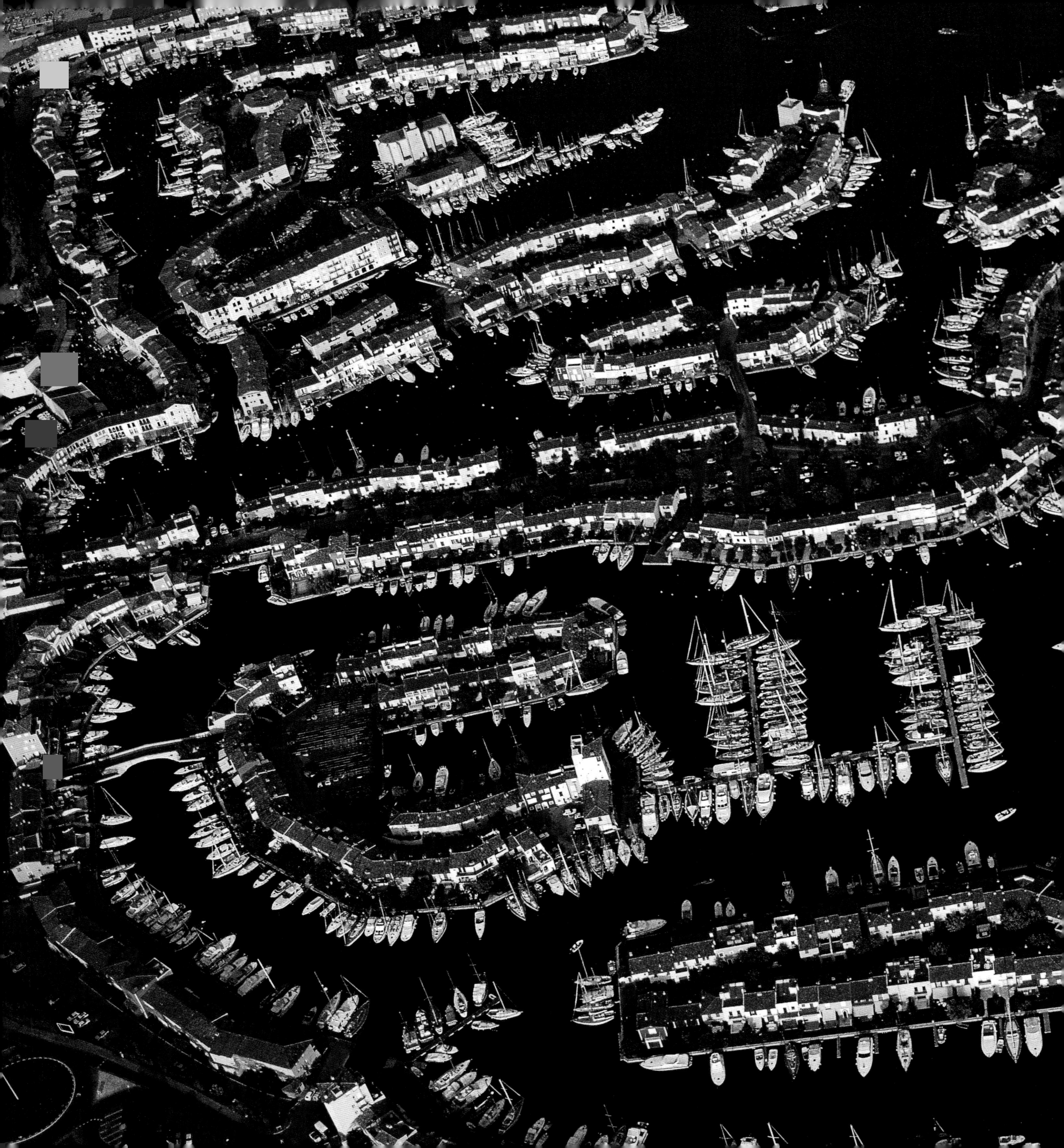

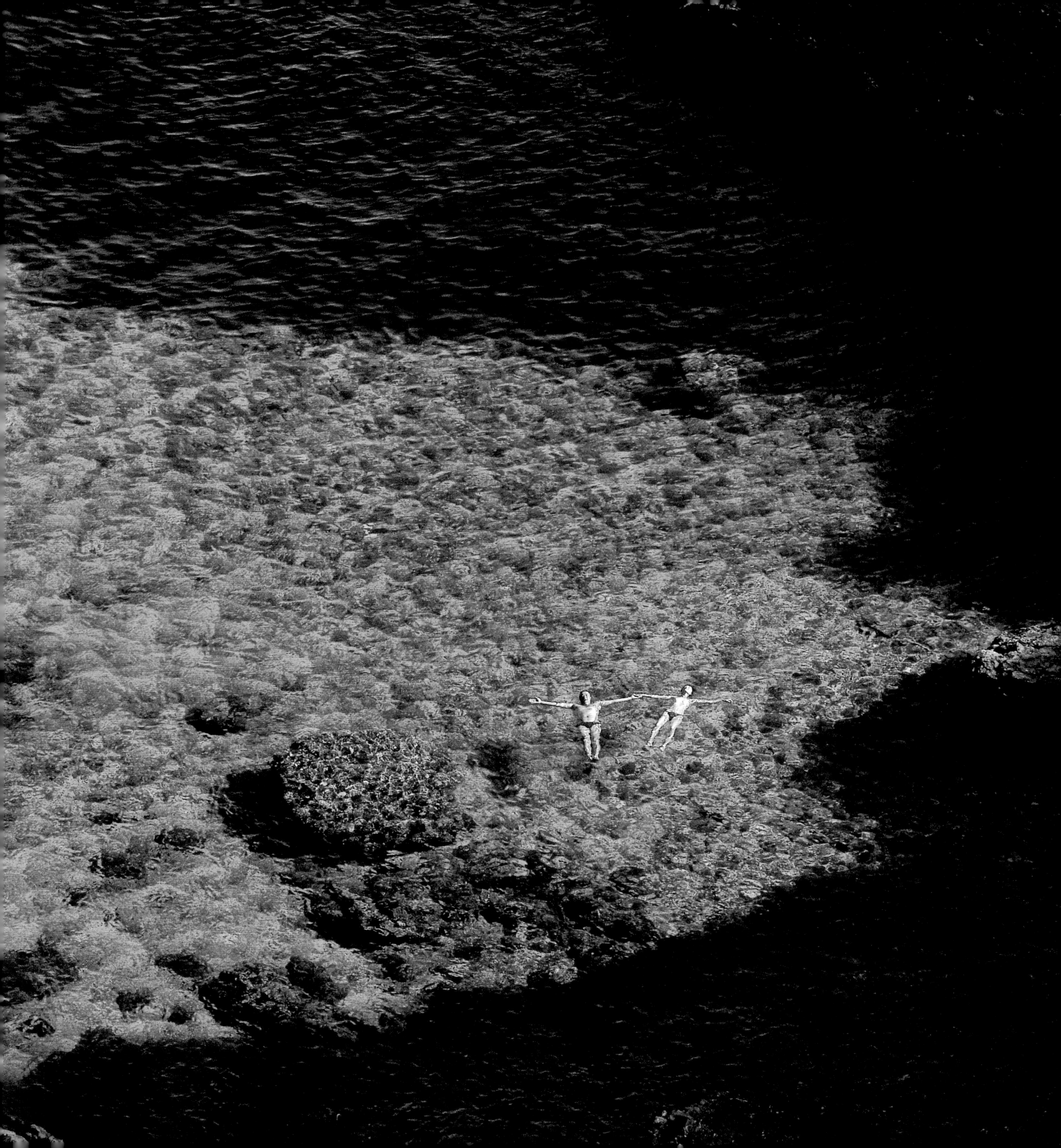

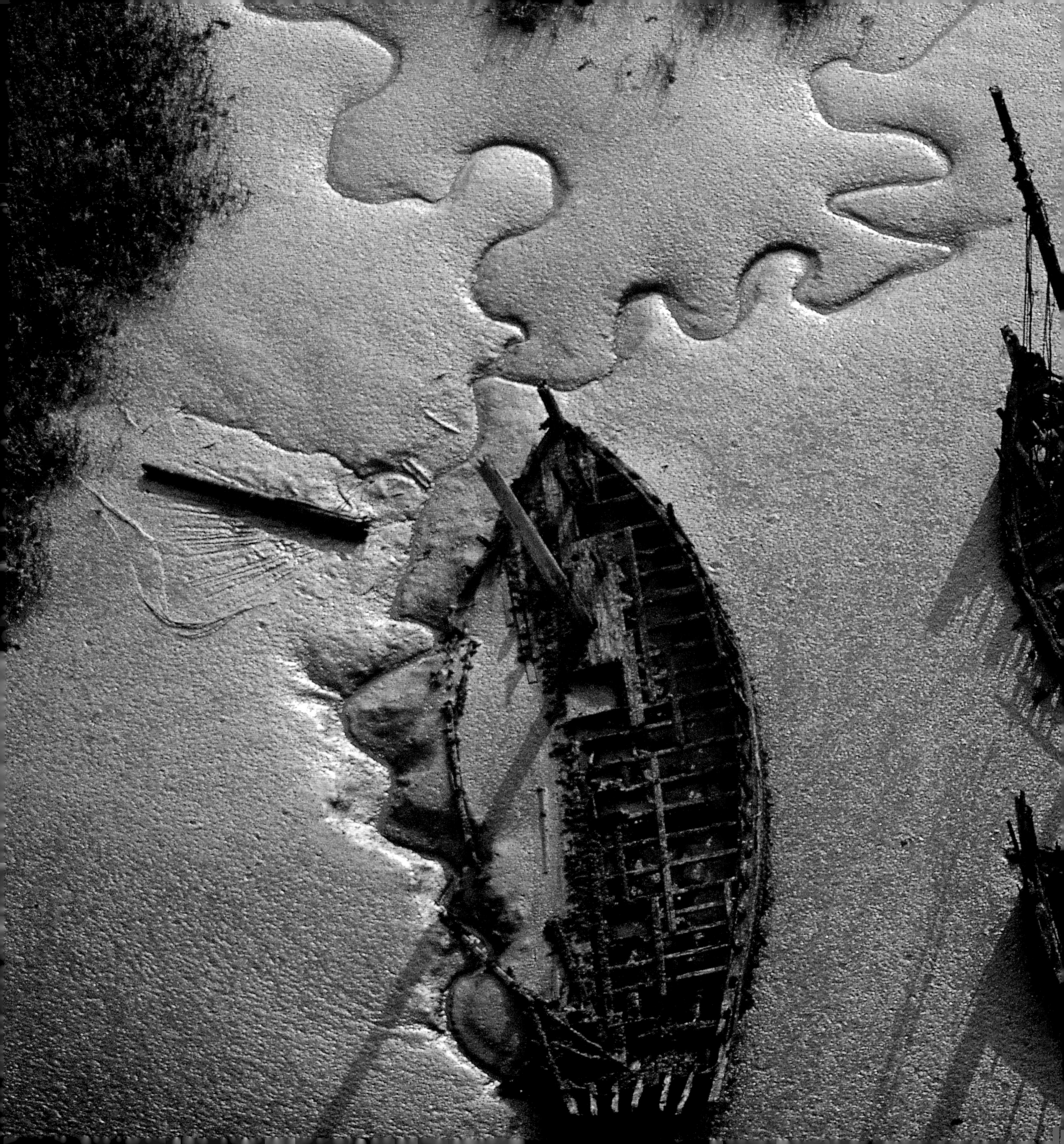

Pages 20-21

• Entre terre et mer, les eaux claires du cap Bénat.
Les eaux transparentes de la Méditerranée et les criques presque désertes du cap Bénat sont accessibles à pied par les anciens sentiers des douanes qui sillonnent cette presqu'île du Var. Créés sous le Premier Empire pour permettre aux gabelous de surveiller les contrebandiers, ces chemins ombragés de pins maritimes ont été progressivement réhabilités depuis les années 1970. Ils desservent des plages familiales ou naturistes, et partout la transparence de la mer permet d'apprécier les fonds. Profitant également de la clarté des eaux, des dauphins fréquentent la côte méditerranéenne.

Double page
précédente

• Le cimetière marin de Kerhervy.
Des bateaux trop vieux pour naviguer disparaissent dans la vase du cimetière marin de Kerhervy, une boucle de la rivière du Blavet, près de Lanester (Morbihan). Les premiers, des thoniers de l'île de Groix, ont échoué ici dans les années 1920, suivis par des dizaines de dundees démâtés... Ces embarcations en bois putrescible finiront, à la différence des bâtiments à coque de métal, par se fondre dans le paysage. Mais pour un bateau désarmé, à bout de course après des années de métier, combien d'épaves potentielles continuent à prendre la mer?

C'est vraiment le moment où l'œuvre de l'homme rejoint la terre. La pourriture commence. Ce bois de construction va redevenir un élément de la nature. Ce changement d'état est souligné par un petit morceau de puzzle, en haut, qui est sublime. - PPDA

Ci-contre

• Les tempêtes du siècle ont balayé la forêt des Vosges.
Des milliers de conifères couchés au sol... La forêt des Vosges (ici à Dabo, en Moselle) a payé un lourd tribut aux ouragans qui ont traversé la France dans les nuits du 26 et du 27 décembre 1999, avec des vents soufflant à plus de 120 km/h. En Alsace et en Lorraine, le volume des arbres abattus a été estimé à 32 millions de mètres cubes. Sur l'ensemble du territoire national, où les forêts occupent 15 millions d'hectares, ces tempêtes inhabituelles, qui semblent témoigner du dérèglement climatique, ont provoqué 500 000 hectares de chablis, des arbres abattus par le vent. Ce désastre, accentué par la sécheresse de 2003, a fait baisser de 7% les revenus des communes forestières, soit une perte de 100 millions d'euros en cinq ans.

J'ai été suffoqué par les ravages de la tempête lorsque j'ai vu une partie de la forêt dévastée par la violence du vent. Mon assistante, Françoise, au premier plan, donne la dimension du carnage. - YAB
Voilà qui montre la grande humilité de l'homme devant la nature. Ces tempêtes, à la veille de l'an 2000, avaient quelque chose de symbolique, comme une sorte d'avertissement incantatoire. La nature reprenait ses droits et zébrait le territoire de longues cicatrices. - PPDA

Ci-contre

• Les colonnes de Buren bientôt restaurées au Palais-Royal.
Plus aucune voix ne s'élève contre ces sculptures contemporaines dressées dans la cour d'honneur du Palais-Royal, à Paris. Caractérisées par une toile à bandes verticales noires et blanches collée sur un fût, les colonnes de l'artiste français Daniel Buren, lauréat du Lion d'or à la Biennale de Venise, ont pourtant suscité une violente polémique à leur création, en 1986, au point que les travaux furent un moment interrompus. Depuis, elles se sont intégrées dans les jardins de ce palais d'architecture classique, construit en 1635, où elles attirent promeneurs et artistes de rue. Mais aujourd'hui usées, dépolies et abîmées par les skateboards, les colonnes de Buren ont besoin d'un coup de neuf. Elles seront prochainement nettoyées puis remises en place dans le cadre d'une restauration de la cour d'honneur du Palais-Royal. Le coût du projet, qui prévoit aussi l'aménagement en sous-sol de deux salles de répétition pour la Comédie-Française, est évalué à 2,6 millions d'euros.

Bien qu'elles aient été souvent critiquées, ces colonnes de Buren sont aujourd'hui un lieu de rencontres, un endroit festif, une aire de jeux pour les enfants. De plus contrairement aux Halles, ici rien n'a été détruit. - YAB

Avec ces colonnes, à la verticale, on est dans le très léger : quelque chose entre le domino et le sushi... Et en même temps dans le ludique. - PPDA

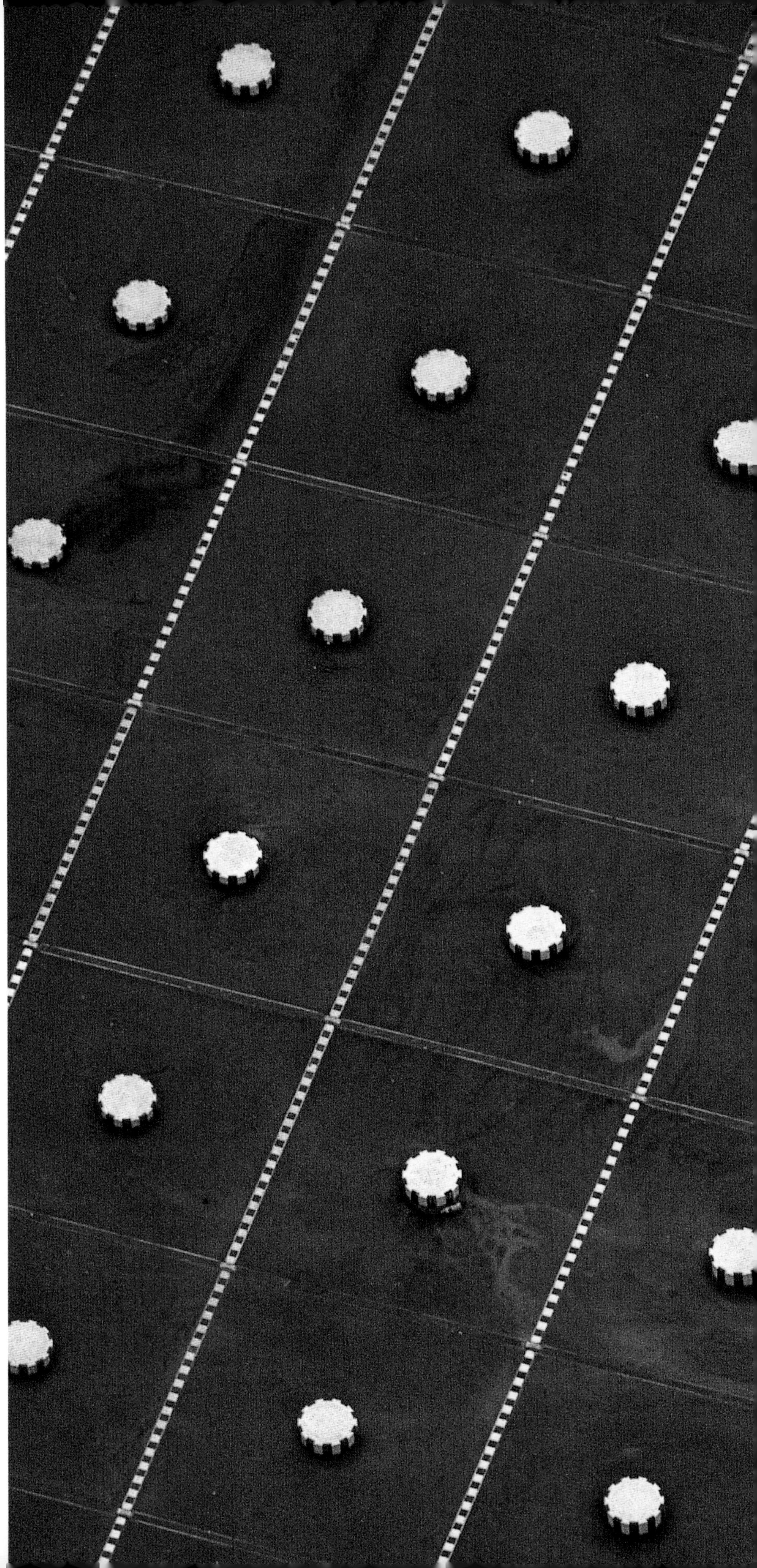

Page de droite

• Le village des Sables, sur la plage de Torreilles.
Rondes comme des camemberts, ces maisons en béton avec leur jardin privatif forment un important lotissement de 640 villas, occupant 34 hectares sur l'immense plage de Torreilles (Pyrénées-Orientales). Construites à la fin des années 1970 par le promoteur Merlin, elles ont en leur temps défrayé la chronique. Louées à l'année ou en saison, elles bousculaient, en effet, un site privilégié, naturel et sauvage. Depuis, la végétation a poussé et le village des Sables s'est intégré dans le paysage, alors que le reste de la côte est désormais protégé par le Conservatoire du littoral.

Ci-dessus

• À Théoule-sur-Mer, le palais-bulles.
D'apparence lunaire, cette étonnante résidence sphérique, construite à Théoule-sur-Mer (Alpes-Maritimes), a été conçue en 1976 par l'architecte tchèque Antti Lovag. Agrandie, la propriété occupe à présent 2 hectares de terrain et abrite, outre le bâtiment principal de 2000 mètres carrés, une douzaine de suites, trois grands salons, deux piscines, un amphithéâtre et une palmeraie. Résidence privée, le palais-bulles accueille des événements particuliers, notamment pendant le Festival de Cannes.

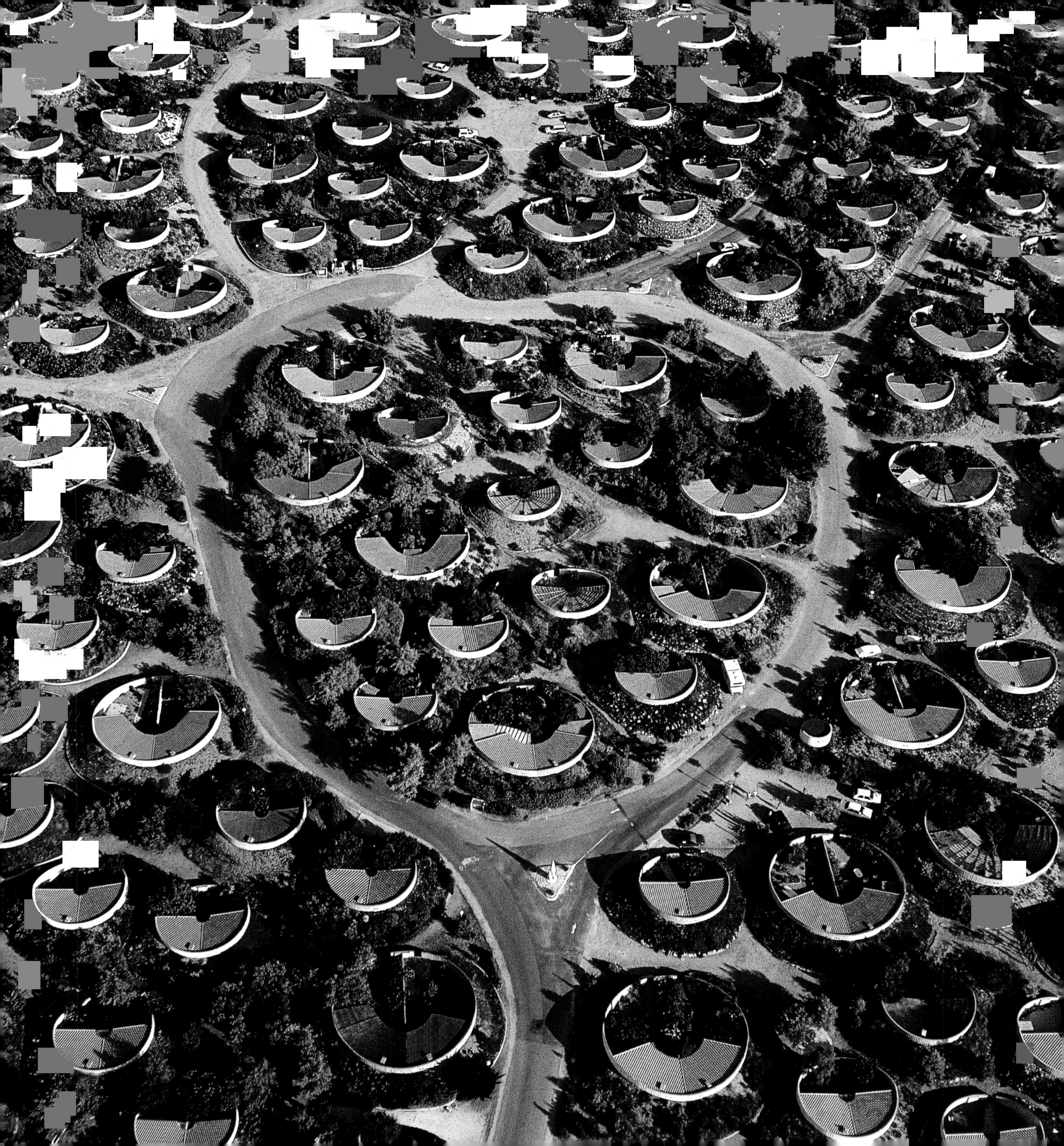

Ci-contre, à gauche

● **La terre au repos dans la région lyonnaise.** Endormie sous les premières neiges, cette parcelle de maïs a été récoltée dans les monts du Lyonnais (Rhône). Les limites des champs, de petite taille, ne permettent pas aux machines agricoles de travailler en droite ligne, donnant aux sillons ces courbes étonnantes. Les cultures céréalières de maïs, de blé ou d'orge servent ici de fourrages pour l'autoconsommation des animaux d'élevage, notamment les vaches, nombreuses dans la région. Le Rhône abrite 8 300 exploitations de 18 hectares en moyenne, contre 42 hectares au niveau national.

Ci-contre, à droite

● **Le travail de la mer, sur l'île d'Oléron.** Oléron, en Charente-Maritime, la plus grande île française sur l'Atlantique (175 km²), vit au rythme des marées qui alimentent en plancton ses parcs à huîtres. L'île s'est convertie à l'ostréiculture à la fin du XIXe siècle, après le déclin des marais salants. C'est un travail de longue haleine qui exige plus de trois ans pour produire des huîtres, depuis le captage des naissains jusqu'à l'affinage en « claires », des bassins spécialisés. Les ostréiculteurs profitent de la marée basse pour récolter les précieux coquillages en circulant dans les parcs à bord de bateaux à fond plat, les « lasses ».

Des graphismes, des dessins, des lignes géométriques, voilà ce que je recherche en permanence avec la photo aérienne. J'ai l'impression que les agriculteurs donnent un coup de pinceau avec leurs tracteurs. - YAB
Pour moi aussi, c'est un tableau... Et là, avec cette photo d'Oléron à côté, on s'approche de Monet et de Sisley. - PPDA

Ci-contre

● **L'art des jardins au château de Versailles.** Les jardins et le château de Versailles (Yvelines) font l'objet depuis quelques années d'importants travaux de restauration. Ouvert en 1990 sous l'autorité de Pierre-André Lablaude, architecte en chef des Monuments historiques, le chantier de replantation du grand parc (600 hectares) a été fortement accéléré après la tempête de décembre 1999 qui a fauché quelque 1500 arbres. Les jardins à la française, dessinés au XVIIe siècle par André Le Nôtre, jardinier du Roi-Soleil, ont ainsi retrouvé leur physionomie d'origine. Ce programme de restauration du végétal représente un budget annuel d'environ 3850000 euros, auxquels s'ajoutent des opérations ponctuelles de mécénat.

Curieusement, les jardins à la française sont faits pour être vus du ciel. C'est magnifique, mais je suis le seul à les découvrir ainsi et à retrouver le dessin du paysagiste. Quand je suis en hélicoptère, j'ai souvent l'impression de me promener au-dessus d'un plan ou d'une carte de géographie. - YAB

Des jardins à la française, mais aussi des calligraphies arabes, avec ce fond de sable ocre! On découvre des symboles impossibles à deviner à hauteur d'homme. - PPDA

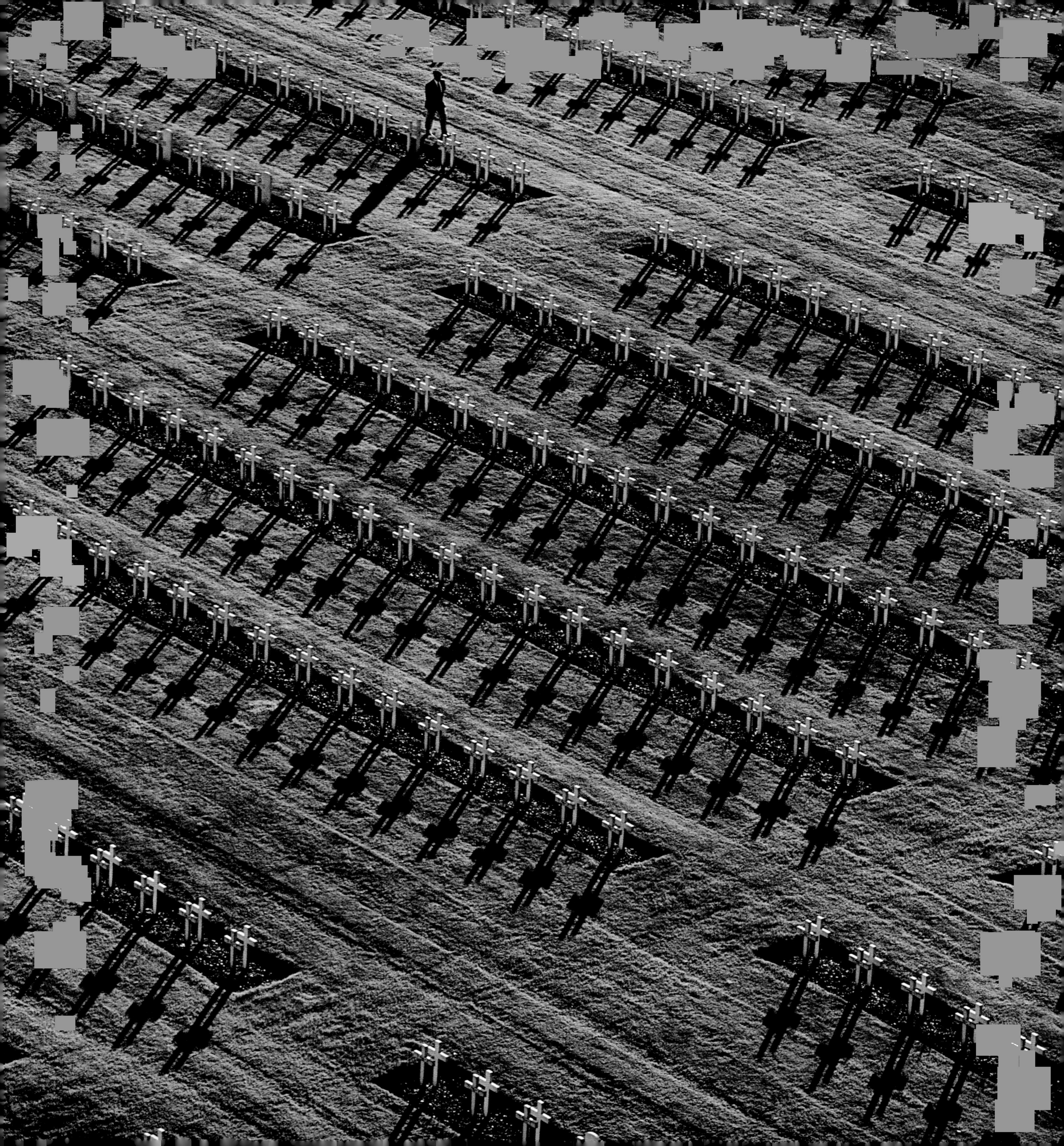

Ci-contre, à gauche

• La nécropole de Notre-Dame-de-Lorette. La plus grande nécropole de France, Notre-Dame-de-Lorette, abrite 40 000 corps sur 271 385 mètres carrés, à Ablain-Saint-Nazaire, dans le Pas-de-Calais. Il s'agit pour l'essentiel des victimes de la Grande Guerre. Ce cimetière, classé « sépulture militaire » depuis 1920, jalonne les anciennes tranchées de la ligne de front qui ont vu tomber près de 100 000 hommes. En leur mémoire, un ossuaire et une chapelle ont été construits par Louis Cordonnier, également architecte de la basilique de Lisieux. La France abrite au total 265 « nécropoles nationales » sur 330 hectares, où reposent les corps de 730 000 combattants.

Pour moi, cette photo est un symbole. Les cimetières militaires du nord de la France sont impressionnants. Il y a eu tellement de morts ici, des millions... Autrefois, les gens se battaient pour défendre leurs patries, leurs frontières, leurs terres... Heureusement, l'Europe est aujourd'hui un pays sans frontières, qui préfigure ce que devrait être la mondialisation. - YAB

Je ne peux pas m'empêcher de penser à mon grand-père paternel. Il avait dix-huit ans au début de la guerre de 1914. Il a passé quatre ans de sa vie dans les tranchées, ses plus belles années, pour gagner trois cents mètres de terrain, qu'il reperdait sans doute le mois suivant... Dix-sept millions de morts en Europe pendant ce qu'on appelle la Grande Guerre. Et aujourd'hui quand on demande par sondage aux Français quel peuple ils préfèrent, ce sont les Allemands qui sont cités en premier... Fallait-il ces horreurs pour y arriver ? - PPDA

Ci-contre, à droite

• Souvenir du Roi-Soleil, à Lyon. Entre Rhône et Saône, la place Bellecour s'impose comme le cœur vivant de Lyon (Rhône), accessible par le métro, bordée de boutiques, animée de spectacles en plein air et parfois de manifestations. Cet ancien pré marécageux ne devient propriété de la ville qu'en 1708, grâce à Louis XIV. La place Royale est alors dessinée par l'architecte Robert de Cotte et le Roi-Soleil y trône, statufié dans le bronze. Son effigie, détruite pendant la Révolution, est remplacée en 1826 par une œuvre du Lyonnais François Lemot qui représente le souverain à cheval, vêtu comme un empereur romain.

Les hommes politiques ne sont plus statufiés sur les places publiques. Quel est, aujourd'hui, le symbole du pouvoir ? - YAB

Louis XIV était un roi conquérant, comme tous ceux qui se sont fait statufier de manière équestre. Il y avait beaucoup de morts et de souffrance derrière tout ça. Et pourtant, c'est ainsi que la France s'est construite. Au début du règne de Louis XIV, qui a duré près de trois quarts de siècle, la France n'avait pas le rayonnement qu'elle a eu à la fin. - PPDA

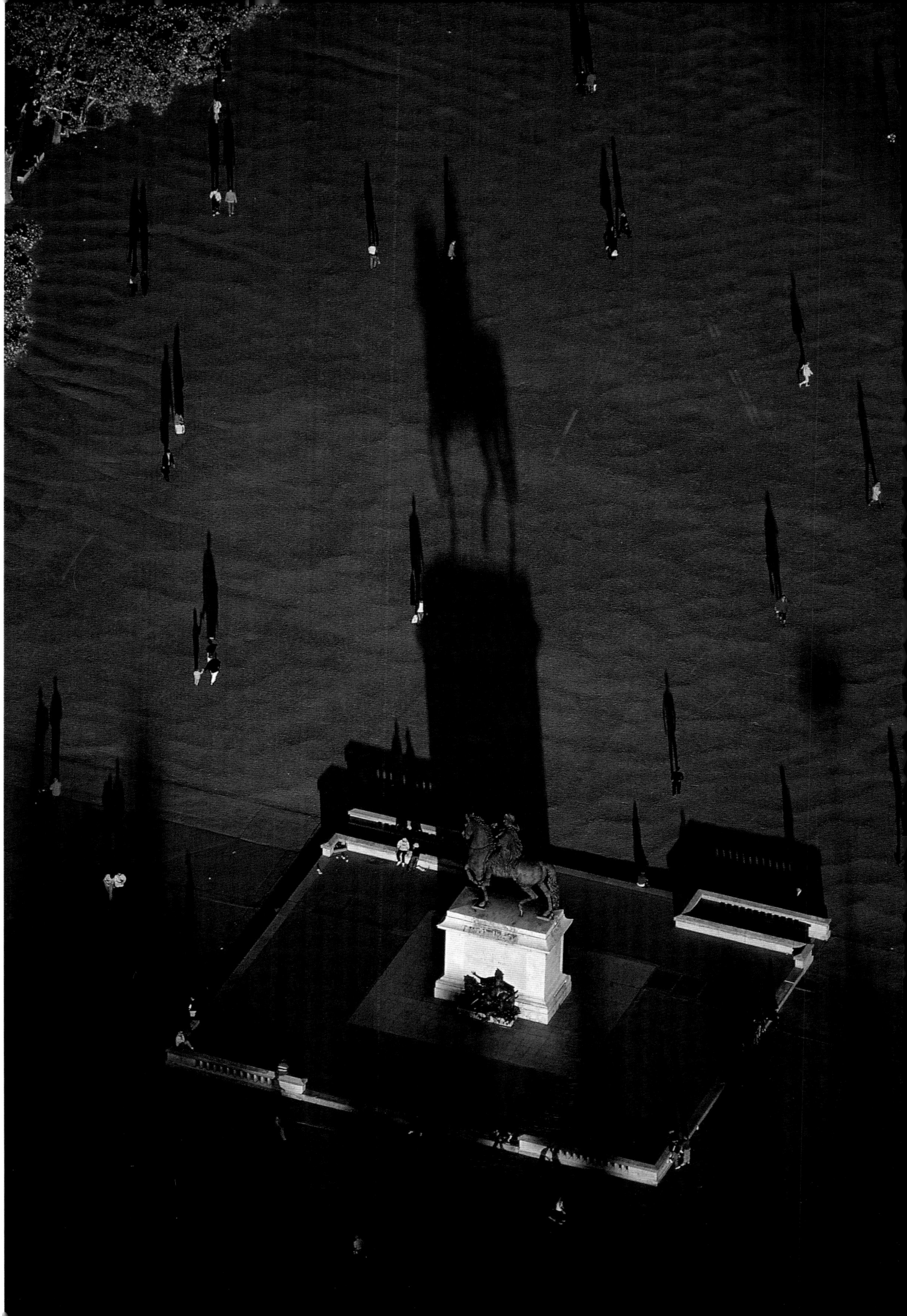

Page de droite
et double page
suivante

• À Guérande, les marais salants ont repris vie.
Ce damier argileux qui forme la « lande blanche » des marais salants de Guérande, en Loire-Atlantique, a failli devenir une friche industrielle, avant d'être sauvé, voilà une vingtaine d'années, par la volonté de quelques sauniers audacieux. Ils y produisent du sel marin, par évaporation au soleil de l'eau saumâtre, selon des techniques héritées du Moyen Âge. La saunaison, ou cueillette, se pratique de juin à septembre, période pendant laquelle la célèbre « fleur de sel » est ramassée en surface avec un long râteau, la « lousse ». Le site a été classé en 1996.

Page 40

• Les broderies de Vaux-le-Vicomte.
Qui est l'auteur des broderies de buis dessinées devant le château de Vaux-le-Vicomte (Seine-et-Marne) et qui font sa notoriété ? À l'origine, elles ont été tracées au XVIIe siècle par André Le Nôtre, qui dirigea ensuite les travaux du parc de Versailles. Mais en 1920, ces broderies étaient en friche, envahies par les herbes folles, avant d'être « revisitées » par un paysagiste : Achille Duchêne. De cette restauration allait naître une polémique sur le « droit d'auteur » des parterres qui opposa, en 2000, les héritiers du jardinier Duchêne à l'actuel propriétaire du château, Patrice de Vogüé, défenseur de Le Nôtre. L'affaire a été tranchée en 2004 par les tribunaux qui ont reconnu « la touche personnelle » d'Achille Duchêne.

Page 41

• Le bocage breton, entre haies et talus.
Propre aux sols granitiques imperméables et façonné par l'homme depuis le Moyen Âge, le bocage breton (ici, dans les Côtes-d'Armor) joue un rôle écologique essentiel, notamment dans la régulation des eaux de ruissellement. Les haies de chênes, de hêtres ou de châtaigniers qui clôturent les propriétés mais aussi les espaces dédiés à l'élevage ou à l'agriculture, abritent une grande diversité animale : oiseaux, insectes et petits mammifères. Souvent perchées sur des talus, elles épousent le relief, contribuant au contrôle des crues. Elles limitent l'érosion des sols, participent au drainage des terrains et freinent la diffusion des pesticides et des engrais utilisés par l'industrie agroalimentaire. Les haies du bocage breton, arasées dans les années 1960-1990 pour faciliter le passage des engins agricoles, sont aujourd'hui partiellement replantées. Cette politique s'inscrit dans une perspective de développement durable.

La Bretagne est quadrillée par le bocage qui forme une succession de petits champs. Comme dans la France, où une ferme disparaît toutes les 20 minutes, le bocage breton est menacé de remembrement. - YAB
Ces deux photos expriment le contraste entre l'orgueil et l'humilité. À Vaux-le-Vicomte, le surintendant Fouquet manifeste son orgueil, quand il a voulu éblouir Louis XIV en construisant un château digne de la magnificence royale. Ce qui causera sa perte... Dans le bocage, au contraire, l'homme s'adapte modestement à la nature. - PPDA

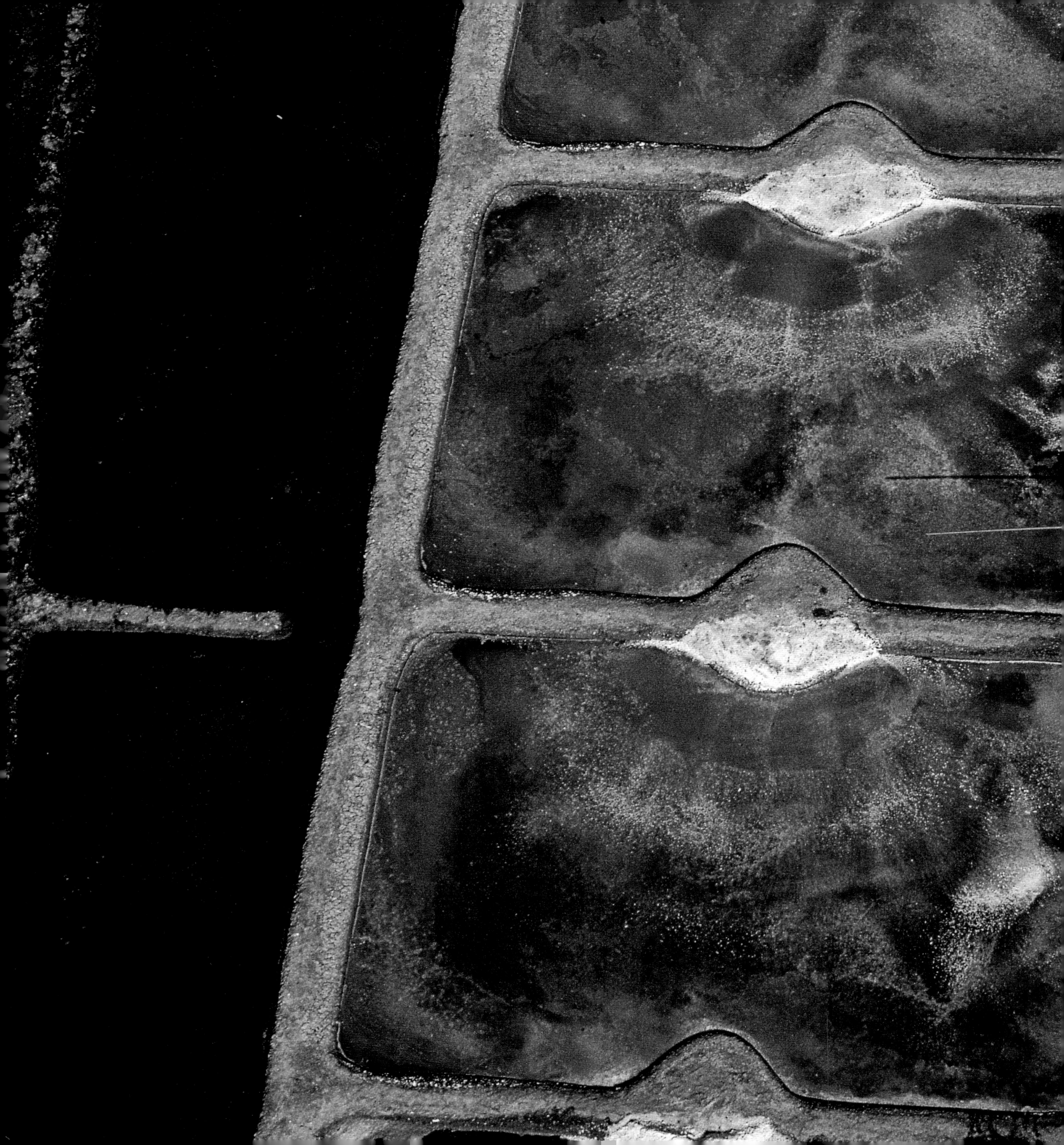

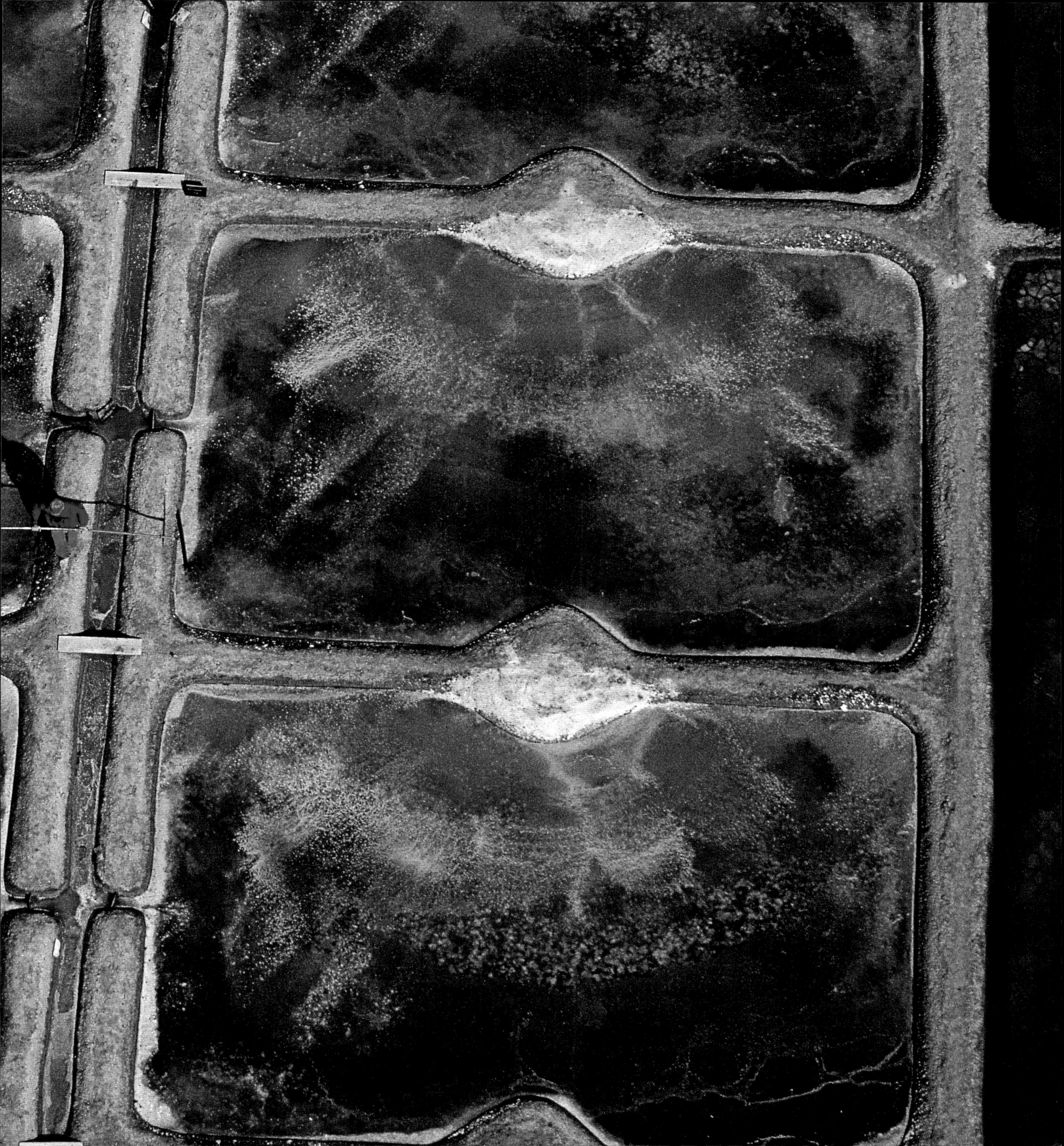

Page de droite

• La cité de la Noé vouée à la démolition.
La construction de la cité de la Noé, à Chanteloup-les-Vignes (Yvelines), a été confiée dans les années 1970 à l'architecte Émile Aillaud. À charge pour lui d'installer dans cet ensemble de quatre mille logements la population ouvrière, souvent immigrée, employée notamment dans les usines Peugeot, à Poissy. Trente ans plus tard, ce quartier artificiel est devenu une « zone urbaine sensible », voué à la démolition selon les directives des « Grands projets de ville ». Une nouvelle entité urbaine, avec espaces verts et maisons individuelles, devrait lui succéder.

Double page *suivante*

• Moutons dans les prés salés du Mont-Saint-Michel.
La baie du Mont-Saint-Michel (Manche) occupe une dépression d'environ 500 kilomètres carrés que balaient les plus grandes marées du monde en période de vives-eaux. Mais son ensablement naturel, au rythme de 1 500 000 mètres cubes de sédiments par an, libère dans l'estran quelque 3 900 hectares d'herbus et de prés salés où pâturent environ treize mille moutons. L'extension des marais salés est devenue préoccupante, menaçant même le caractère maritime du Mont-Saint-Michel. D'importants travaux ont été récemment engagés pour assurer l'insularité du célèbre îlot, couronné de sa « merveille » gothique, haut lieu de pèlerinage et de tourisme.

Vue d'en haut, la baie du Mont-Saint-Michel a des allures d'un pare-brise éclaté, cassé par un caillou. - PPDA

Pages 46 et 47

• La floraison des produits du terroir.
Les vergers des monts du Lyonnais (Rhône), plantés de 400 hectares de cerisiers autour de Bessenay, capitale de ce fruit rouge à l'ouest de Lyon, sont en expansion. La moitié des arbres ont moins de dix ans, et la récolte, de mai à juillet, s'élève à huit mille tonnes de cerises par an, plaçant le Rhône au troisième rang français pour cette production. Le département fournit également des poires, des pommes, des abricots et des pêches, fruits vendus sur le marché local, mais qui bénéficient de l'attrait des consommateurs pour les « produits du terroir », loin des goûts uniformisés de l'industrie agroalimentaire. Cet intérêt concerne aussi l'élevage, important dans la région : 90 % de la production de lait est livrée à des coopératives pour la fabrication de produits fromagers – yogourts, crème fraîche, et fromage blanc très apprécié localement. Globalement, la France a produit 23 milliards de litres de lait, pour l'essentiel de vache, en 2003.

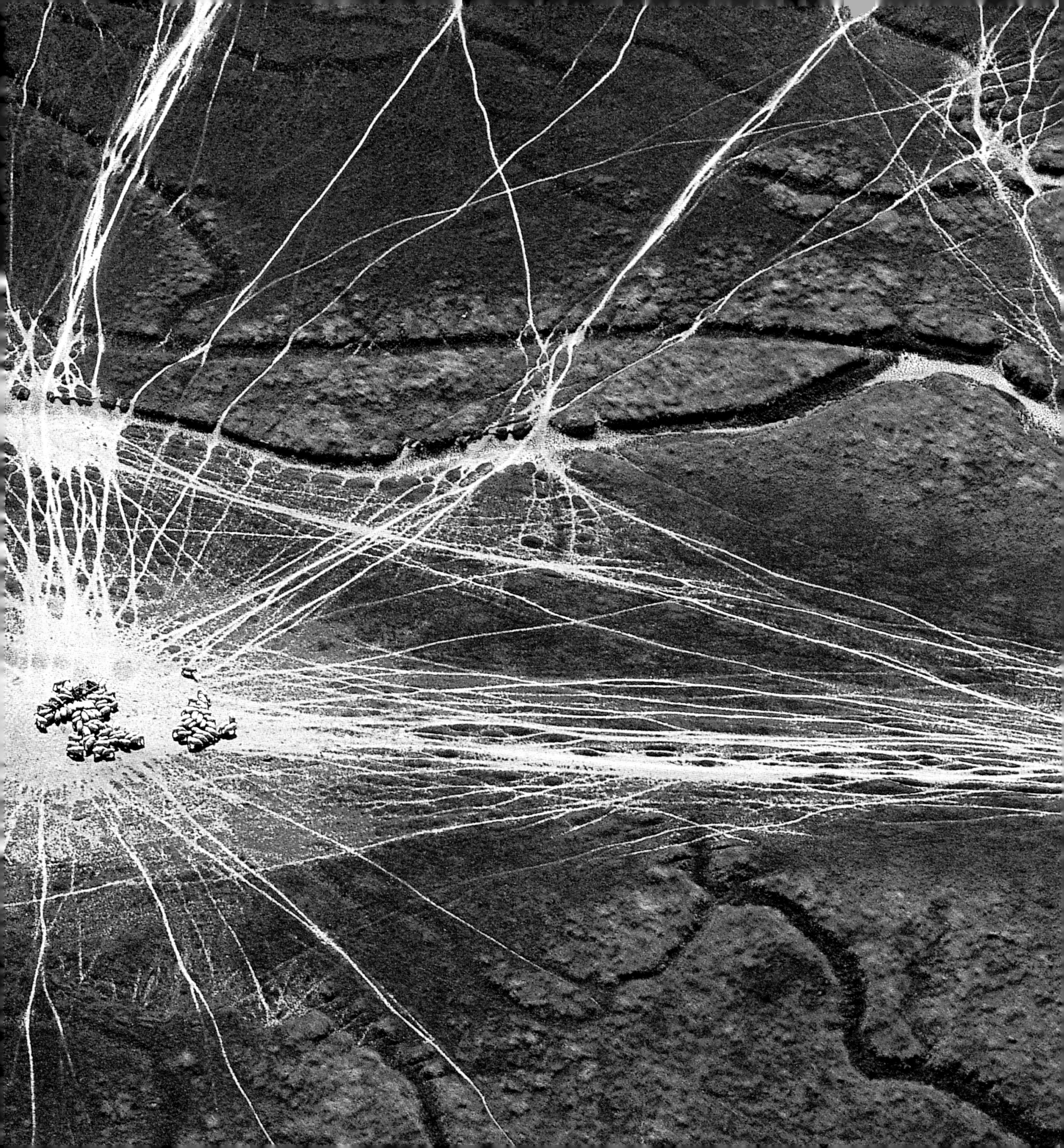

Page de gauche

• L'indéboulonnable tour Eiffel, à Paris.
Elle ne devait durer que le temps de l'Exposition universelle de 1889, mais elle est toujours là ! La tour Eiffel, du nom de son inventeur Gustave Eiffel, symbolise le triomphe de l'architecture métallique au XIXe siècle. Sa construction sur le Champ-de-Mars, dans le VIIe arrondissement, a nécessité quelque 18 000 pièces différentes, assemblées grâce à 2 500 000 rivets. La « dame de fer » pèse 9757 tonnes. Elle mesurait à l'origine 300 mètres, mais elle a grandi d'environ 20 mètres depuis 1929 avec l'installation progressive d'une station météo et d'un réseau d'émetteurs de télévision au dernier étage. Son ascension attire en moyenne quinze mille visiteurs par jour.

Page de droite et page suivante

• Le Génie de la Liberté, à Paris.
La construction de la colonne de la Bastille, dans le XIIe arrondissement de Paris, a été décidée par le roi Louis-Philippe en hommage aux révolutionnaires des Trois Glorieuses de juillet 1830. Inaugurée dix ans plus tard, la colonne de bronze, haute de 23 mètres, porte les noms gravés des 615 victimes de ces journées. Au sommet, le Génie de la Liberté s'envole vers le ciel de Paris en brandissant les chaînes brisées du Despotisme dans sa main gauche et le flambeau de la Civilisation dans la droite. La statue a été redorée à la feuille par l'atelier parisien Huber à l'occasion du bicentenaire de la Révolution de 1789.

Je travaille beaucoup au téléobjectif. Cela me permet de choisir mes cadrages pour isoler des détails dans le paysage. C'est le cas ici, mais j'ai aussi photographié le Génie du haut d'une grue télescopique, à quatre-vingts mètres du sol. - YAB

Page 51

• Marée basse sur les plages de Vendée.
Avec un total de 2 200 heures d'ensoleillement par an et 250 kilomètres de côtes ouvertes sur l'Atlantique, la Vendée joue avec talent de ses atouts maritimes. Quatorze stations balnéaires, dont Les Sables-d'Olonne et Saint-Jean-de-Monts, surnommée « le plus grand bac à sable de l'Ouest », tirent profit de ses quelque cent quarante plages de sable fin, d'une faible déclivité, où la mer se retire loin sans danger pour les enfants. Dans ce département rattaché à la région des Pays de la Loire, l'industrie touristique fait travailler huit mille personnes en basse saison et vingt-cinq mille l'été.

Je me revois en Bretagne, avec mes parents, ramassant les coques. Nous étions six enfants et je me souviens de nous, courant en brandissant des filets et hurlant : « J'en ai une ! J'en ai une ! » - YAB
J'ai le même souvenir. Et aussi, celui de nos sorties nocturnes à la pêche au lançon. On arrivait avec nos lampes frontales et nos râteaux pour chercher le lançon qui était là, tapi dans le gravier. - PPDA

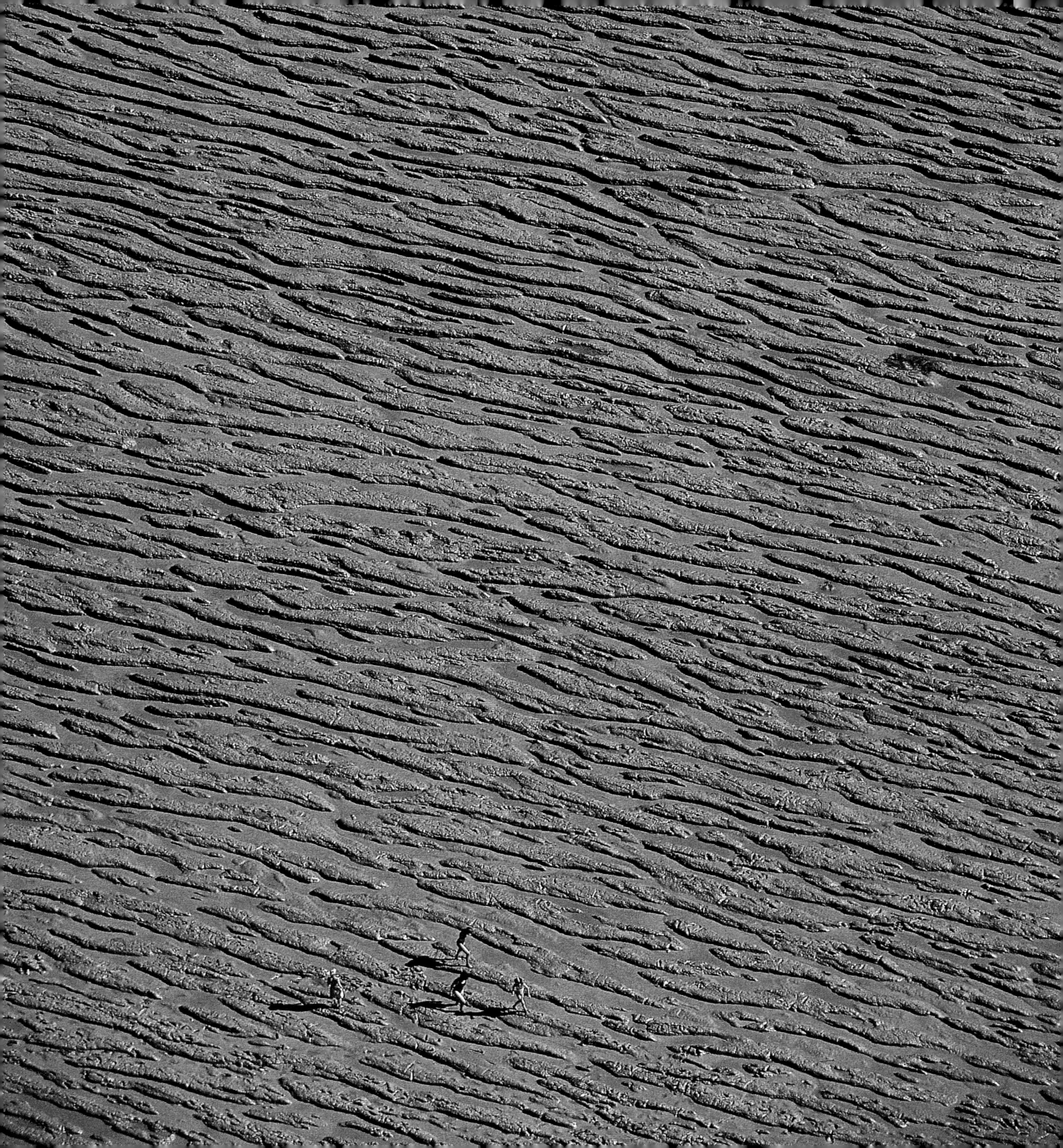

Page de droite

• **Des vestiges du mur de l'Atlantique, à Royan.** Sur l'estuaire de la Gironde, la ville de Royan, en Charente-Maritime, a été fortifiée de casemates, comme le reste des côtes françaises, par les nazis en 1941. La construction du mur de l'Atlantique a duré deux ans. Elle a mobilisé 250 000 hommes et nécessité 15 millions de mètres cubes de béton. La « poche de Royan », où les Allemands s'étaient retranchés après le débarquement allié en Normandie, résista. Le plus long siège de l'histoire de la Libération se solda, dans la nuit du 4 au 5 janvier 1945, par 1700 tonnes de bombes lâchées par les Britanniques sur la ville martyre. Les blockhaus inexpugnables ont repris depuis les couleurs de la vie.

Un blockhaus, c'est un vestige de la guerre. Mais cette casemate sur la plage, repeinte en bleu ciel, avec ces enfants qui jouent autour, je trouve ça rassurant. - YAB
Un blockhaus est hélas ! indestructible. Autant dire que lorsqu'il s'agit de guerre, de sang et de mort, l'homme est capable de faire plus solide et durable que lorsqu'il s'agit de survie, ou de vie tout simplement... - PPDA

Double page suivante

• **En Camargue, le phare de Beauduc.** Malgré d'importants risques d'échouage sur les côtes sablonneuses de Camargue (Bouches-du-Rhône), le phare de Beauduc n'a été édifié qu'en 1902 sur les dunes de la pointe du Sablon. Le naufrage du vapeur marseillais *Pergame*, le 1er janvier 1898, est à l'origine de sa construction. Sa tourelle conique en pierres de taille blanches s'élève à 25 mètres de hauteur. Ses feux sont automatisés depuis 2001, mais un gardien continue de surveiller le littoral.

Cette photo me touche doublement, d'abord parce que j'aime beaucoup la Camargue, mais aussi parce que ce sont des amis qui gardent le phare. La mer est assez trouble car l'eau du Rhône arrive chargée d'alluvions, mais la plage est sauvage. Des gens viennent ici se reposer quelques jours, loin de tout. - YAB
Ce qui est étonnant aussi, c'est de se dire que ce phare était au bord de l'eau, il y a encore quelques dizaines d'années, et que la terre a gagné sur la mer comme à Aigues-Mortes. Ce n'est pas toujours la mer qui gagne ! - PPDA

Double page précédente

• Le mont Blanc, au top de la fréquentation touristique.
Le massif du Mont-Blanc, qui culmine à 4 808 mètres en Haute-Savoie, dans les Alpes françaises, constitue le troisième site naturel le plus fréquenté de la planète. Ce sommet mythique, invaincu jusqu'à la fin du XVIIIe siècle, accueille désormais de nombreux alpinistes : jusqu'à deux cent cinquante personnes par jour en période estivale, de juin à septembre, qui tentent de parvenir au sommet par différents itinéraires, à commencer par la voie dite « normale », au départ de Chamonix. L'évolution des techniques et les performances du matériel de montagne ont permis cette démocratisation, qui constitue aussi une menace écologique pour ce milieu extrême et fragile.

Quand je vole en montagne, je fais très attention aux gens qui font de l'escalade. Je n'ai pas envie de les déranger car ici le silence fait partie du voyage. - YAB
C'est vrai qu'on aimerait être seul ici, sur le plus haut sommet de France, que j'ai eu la chance d'escalader, il y a peu. Tout là haut on se sent le roi du monde parce que l'on domine trois pays du regard. Et qu'on a souffert pour y arriver... - PPDA

Ci-contre

• La mer de Glace, menacée par le réchauffement du climat.
La célèbre mer de Glace, qui débouche dans la vallée de Chamonix (Haute-Savoie), est touchée comme l'ensemble du massif alpin par le réchauffement de la planète, attribué aux gaz à effet de serre. En dix ans, cette langue glaciaire constituée d'énormes séracs a perdu trois mètres d'épaisseur en amont, et neuf mètres en aval, vers le village des Mottets. Comme elle, les grands glaciers alpins ont vu fondre un tiers de leur masse au cours du siècle dernier. Le phénomène pourrait s'accentuer, compromettant l'avenir des stations de ski de basse altitude.

Il s'agit d'un glacier déjà usé. On a l'impression qu'il est couturé de partout, comme un vieux boxeur qui a trop vécu. Il va finir par demander grâce, avant le gong final. - PPDA

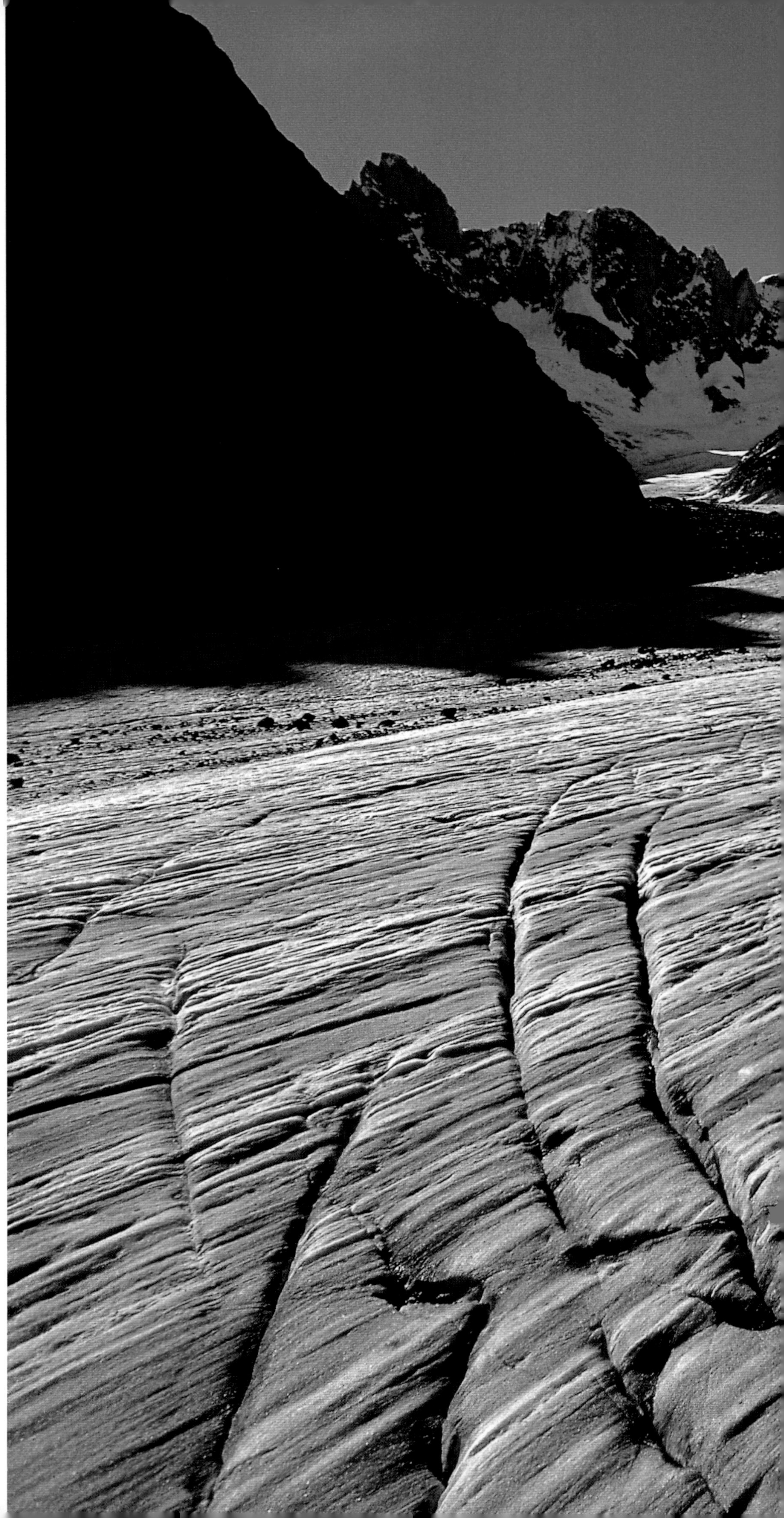

Ci-contre

● **La gare TGV Saint-Exupéry, à Lyon.**
Avec ses structures métalliques futuristes, la gare du TGV Saint-Exupéry, à Lyon (Rhône), inaugurée en 1994, rend hommage aux transports ferroviaires des temps modernes tout en reliant la capitale régionale à l'aéroport de Satolas. Son architecte, l'Espagnol Santiago Calatrava, également ingénieur, l'a voulue semblable à un gigantesque oiseau prêt à s'envoler. Les ailes du hall, supportées par une structure de béton blanc, se déploient vers le ciel, donnant au bâtiment sa dynamique. Les trains, quand ils ne marquent pas l'arrêt, circulent entre les quais à 300 km/h.

Page de droite

● **Le viaduc de Millau.**
Inauguré en décembre 2004, le viaduc autoroutier de Millau, dans l'Aveyron, enjambe la vallée du Tarn à 270 mètres de hauteur. C'est le plus haut pont à haubans du monde. Ses sept piles s'élèvent de 77 mètres à 343 mètres. Deux architectes, le Français Michel Virlogeux et le Britannique Norman Foster, ont conçu cet ouvrage d'art, long de 2460 mètres. Sa construction qui a duré trois ans, a nécessité 206000 tonnes de béton et 36000 tonnes d'acier. Grâce à la souplesse de dilatation de ses joints, le tablier peut supporter des températures extrêmes de – 35 °C en hiver et de + 45 °C en été. Des capteurs et des panneaux spéciaux permettent d'évaluer et de réduire la puissance des vents. Le viaduc, prévu pour durer cent vingt ans, devra être repeint dans une trentaine d'années.

Double page précédente

• L'abbatiale Sainte-Foy de Conques.

L'abbaye de Sainte-Foy fut fondée au IXe siècle à Conques, dans l'Aveyron, pour abriter les reliques d'une jeune sainte originaire d'Agen et martyrisée. Au Moyen Âge, l'abbatiale, chef-d'œuvre de l'art roman, devint un important centre de pèlerinages. Ruinée par la Révolution, l'église a été sauvée en 1837 par l'écrivain Prosper Mérimée, inspecteur des Monuments historiques, qui s'émerveilla devant « tant de richesse en un pareil désert ! ». Le peintre Pierre Soulages, né à Rodez, a restauré les vitraux de l'abbatiale de 1987 à 1994. N'utilisant que la couleur noire pour refléter la lumière ainsi « transmutée » selon sa propre expression, l'artiste commanda des verres spéciaux à Saint-Gobain pour habiller les cent quatre fenêtres et exprimer son talent.

Conques est un village surprenant, à l'écart du monde, accroché à une colline. En hélicoptère, on ne le voit pas arriver… Il ne se découvre qu'à la dernière minute, à cent mètres du but perdu au milieu des bois. - YAB

Une des étapes sur les chemins de Compostelle… En les parcourant à pied, on découvre une France exceptionnelle, et quand on arrive à Conques, au terme d'une étape de vingt-cinq kilomètres, on a le soulagement et le bonheur de pénétrer dans l'une des plus belles églises du monde. - PPDA

Ci-contre

• Le Géant Encelade dans les jardins de Versailles.

Dans la mythologie grecque, le Géant Encelade voulut attaquer la résidence des dieux. Il paya pour son audace, enseveli par la colère d'Athéna sous les laves de l'Etna en éruption. Louis XIV, roi absolu, trouva la leçon assez édifiante pour faire ériger la fontaine de l'Encelade, dans les bosquets de Versailles (Yvelines), comme un avertissement sans frais destiné aux courtisans trop ambitieux. L'œuvre, une sculpture en plomb présentant l'Olympe terrassant le Géant, a été réalisée en 1676 par Gaspard Marsy. Elle a été restaurée et redorée à l'or fin en 1997.

Ci-contre

● **Le Val-de-Grâce, à Paris.** Anne d'Autriche, épouse de Louis XIII, fonda l'abbaye du Val-de-Grâce en 1621 pour remercier le ciel de lui avoir donné un fils, après vingt-deux ans de stérilité. En 1645, elle demanda à l'architecte classique François Mansart d'y ajouter une église et un palais. Les travaux furent achevés en 1647 par Jacques Lemercier. Le couvent, modèle d'architecture religieuse du XVIIe siècle avec son cloître et ses jardins, a été désaffecté sous la Révolution, puis transformé en hôpital militaire en 1796. Situé dans le Ve arrondissement de Paris, le Val-de-Grâce abrite l'hôpital d'instruction des Armées, l'un des meilleurs de France.

Page de gauche

• L'obélisque de la Concorde, à Paris.
La place de la Concorde, 84 000 mètres carrés dans le VIIIe arrondissement, a été tracée entre 1755 et 1775 par l'architecte Ange-Jacques Gabriel. Plus d'un millier de personnes, dont le roi Louis XVI et sa femme Marie-Antoinette, y furent guillotinées en 1793, pendant la Terreur. L'obélisque, vieux de 3 300 ans et pesant 227 tonnes pour 23 mètres de hauteur, est un cadeau du pacha d'Égypte Muhammad Ali au roi Louis-Philippe. Il provient du temple de Louxor, et son installation, le 25 octobre 1836, attira plus de deux cent mille personnes. Le gouvernement fit recouvrir son sommet de feuilles d'or, convaincu que le chapeau d'origine avait été volé.
En 2000, l'obélisque a été escaladé par le grimpeur urbain Alain Robert, pieds et mains nus, et sans dispositif de sécurité.

Ci-contre

• L'église fortifiée de Hunawihr.
Flanquée d'une tour carrée avec un toit en pointe, l'église fortifiée de Hunawihr (Haut-Rhin) domine le vignoble alsacien de Colmar depuis le XVIe siècle. Classée en 1972, elle abrite un ensemble de peintures murales évoquant la vie de saint Nicolas, très populaire dans la région.

Ci-dessous

• La police nationale fait peau neuve.
Griffé par le couturier Pierre Balmain en 1985, l'uniforme de la police nationale, dont une section est ici au garde-à-vous pour un défilé du 14 Juillet à Paris, n'avait pas changé depuis vingt ans. Gardiens de la paix et gradés ont inauguré une tenue neuve à l'occasion du défilé du 14 juillet 2005, sur les Champs-Élysées. Dessiné par Balenciaga, le nouvel uniforme comporte une casquette souple, une chemise bleu glacier, des pantalons de treillis et des chaussures montantes, de type commando. Ce paquetage, d'un coût de 533 euros, se décline pour l'été ou l'hiver. Une manière de rajeunir la police nationale qui regroupe environ 145 000 fonctionnaires, commissaires, lieutenants, gardiens de la paix ou agents de sécurité.

Page de droite

• Le fort de Brégançon, résidence de la République.
Dressé sur un piton rocheux à 35 mètres d'altitude, le fort de Brégançon, sur la commune de Bormes-les-Mimosas (Var), a oublié son passé militaire. Construite au XIe siècle et plusieurs fois réaménagée, cette forteresse a longtemps défendu les rades d'Hyères et de Toulon, avant d'être déclassée en 1919. Le général de Gaulle, venu présider les cérémonies du XXe anniversaire du débarquement allié en Provence, y dormit en 1964 et le fort fut promu résidence officielle de la République en 1968. Modernisé peu après par l'architecte français Pierre-Jean Guth, Grand Prix de Rome, Brégançon abrite depuis les vacances des présidents.

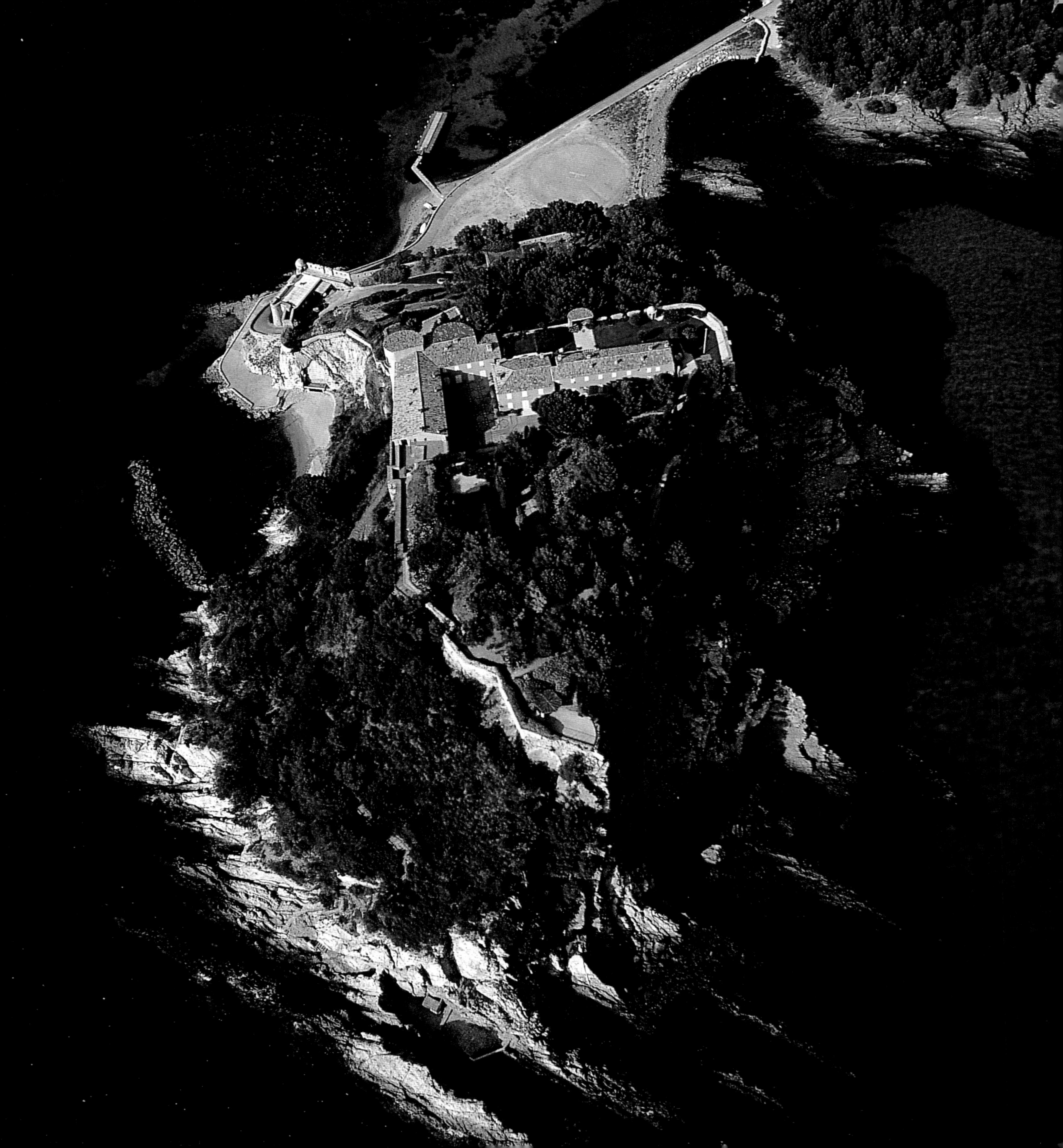

Ci-contre

• La chapelle Notre-Dame-du-Haut, à Ronchamp.
La reconstruction de la chapelle de Ronchamp (Haute-Saône), bombardée en 1944, a été confiée à Charles-Édouard Jeanneret, dit Le Corbusier. L'édifice, conçu en béton et inauguré en 1955, est le seul monument religieux (avec le couvent Notre-Dame-de-la-Tourette) réalisé par cet architecte utopiste, par ailleurs créateur de la Cité radieuse à Marseille et considéré comme l'un des maîtres de l'architecture moderne.

Ronchamp est pour moi une des plus émouvantes constructions de Le Corbusier. On dit qu'il s'est inspiré de la mosquée d'El Ateuf en Algérie pour construire cette chapelle. Elle est magnifique dans la lumière du soir... - YAB

Il y a vingt-cinq ans, un président de la République s'est fait élire avec le slogan : « La force tranquille. » Derrière lui, il y avait une église... - PPDA

Page de droite

• Le Tour de France au mont Ventoux.
Depuis sa création en 1903, le Tour de France cycliste, à la fois fête populaire et compétition sportive, reste le feuilleton favori des Français pendant le mois de juillet. Chaque année, la Grande Boucle présente de nombreuses difficultés, avec environ 3 500 kilomètres à parcourir en une vingtaine d'étapes, comme ici dans la montée du mont Ventoux, qui culmine à 1 909 mètres dans le département du Vaucluse. Au total, le passage du Tour attire chaque année environ douze millions de spectateurs sur le bas-côté des routes.

Le Tour est à l'image de ce pays. On n'imagine pas un été sans Tour de France… Il y a quelque douze millions de personnes qui le suivent sur le bord de la route pour voir les coureurs de leurs yeux. À la télévision, beaucoup le regardent pour admirer les paysages d'en haut, comme dans ce livre. En arrivant au sommet du mont Ventoux, le coureur britannique Tom Simpson est mort en 1967… Depuis, les coureurs du Tour s'arrêtent toujours à son sommet, pour se recueillir quelques instants. - PPDA

Il m'est arrivé une fois de suivre le Tour de France en moto. J'ai été frappé par l'ambiance à la fois passionnée et chaleureuse de ce spectacle populaire. Le vélo est le premier sport national et les Français le pratiquent de plus en plus, même si les villes ne sont pas du tout adaptées à la pratique de ce sport au quotidien. - YAB

Ci-dessus

• Le vélo, priorité du Grand Lyon.
L'aménagement d'une piste cyclable sur les berges du Rhône, au parc du Confluent,à Lyon (Rhône), aussi connu sous le nom de parc de Gerland, contribue au développement de ce mode de déplacement non polluant dans la cité rhodanienne. D'ici 2010, le Grand Lyon prévoit d'agrandir encore ce réseau et de porter les itinéraires cyclables de 300 à 500 kilomètres. La ville a également créé, au printemps 2005, un « Service Vélo'v » mettant deux mille bicyclettes à la disposition des habitants pour une somme modique.

BASSO
Jens Voigt
HARO
SGN
Berlin
ERIK ZABEL
HARO
MOÀN-VERKEN
BRANDT
LANC
VDB
TOUR de
TOUR de
HANS
CAROLINE
JAMES PEETE
BEAST BOYS
ZABEL
www.BCAIF.
AXEL
NICO
Champion
Champion
Champion
Aquarel

Ci-contre

• Les tours de la cathédrale Sainte-Croix, à Orléans.
Victime des guerres de Religion et ravagée par les protestants en 1568, la cathédrale Sainte-Croix d'Orléans (Loiret) a été reconstruite au fil des siècles par les rois de France. Henri IV, protestant converti, posa la première pierre du nouvel édifice en 1601. Les deux tours, qui s'élèvent à 81 mètres au-dessus du sol, furent édifiées au XVIIIe siècle par l'architecte Louis-François Trouard dans un style gothique « fantaisie ». La flèche centrale s'élève à 114 mètres. Consacrée au culte de la Raison pendant la Révolution, la cathédrale verra ses tours « découronnées » par les bombardements alliés en 1944. Elle est à présent parfaitement restaurée.

Page 78

• L'étrange géométrie des rues de Paris.
À partir des grands travaux du baron Haussmann qui modifient profondément la physionomie de la capitale sous le Second Empire, l'habitude semble prise de tracer des rues au cordeau dans le tissu urbain. Ainsi pour la rue Marcadet, dans le XVIIIe arrondissement, dont le nom viendrait d'un ancien lieu-dit, la Mercade ou la Mercadé. Longue de deux kilomètres, elle a effacé toute trace des chemins vicinaux qui l'avaient précédée vers Montmartre.

Page 79

• La Grande Pyramide du Louvre, à Paris.
Parmi les Grands Travaux du président François Mitterrand, la Pyramide du Louvre, dans le Ier arrondissement de Paris, dressée dans la cour de l'ancien palais des rois de France, a été inaugurée en 1988. Son architecte, le Sino-Américain Ieoh Ming Pei, a réalisé ici une prouesse technologique : la pyramide, haute de 21,65 mètres, se compose en effet de 673 losanges et triangles de verre assemblés sur une armature métallique d'environ 95 tonnes. Ce bâtiment translucide dessert l'entrée du musée du Louvre,qui abrite trente-cinq mille objets d'art et accueille chaque année plus de six millions de visiteurs. Depuis juin 2005, ces collections inestimables sont aussi accessibles sur le nouveau site Internet du musée.

Pages 80-81

• Semailles dans le Beaujolais vert.
Le nord du département du Rhône, adossé aux monts du Beaujolais (ici, près de Cublize), est essentiellement constitué de prairies. Vaches et chèvres y produisent du lait employé pour fabriquer des fromages locaux : le « cenvard » ou le « cabrion ». Mais les agriculteurs consacrent aussi 12 % de la superficie agricole à la culture des céréales, blé ou maïs, qu'ils stockent pour alimenter les bêtes en hiver. Les parcelles cultivées font en moyenne une centaine d'hectares et permettent à 640 exploitations de vivre du travail de la terre.

Pages 82-83

• Entraînement à l'hippodrome de Maisons-Laffitte.
Situé sur 92 hectares en bordure de Seine, le centre d'entraînement hippique de Maisons-Laffitte (Yvelines) est l'un des plus anciens de France, installé dès le XVIIIe siècle dans une résidence appartenant alors au comte d'Artois, frère de Louis XVI et amoureux des pur-sang. Aujourd'hui géré par l'association France Galop, le centre entraîne en permanence quelque huit cents chevaux, comme ici sur le rond Adam. L'hippodrome, qui possède la plus longue piste de galop d'Europe (2 000 mètres), organise chaque année une trentaine de réunions hippiques.

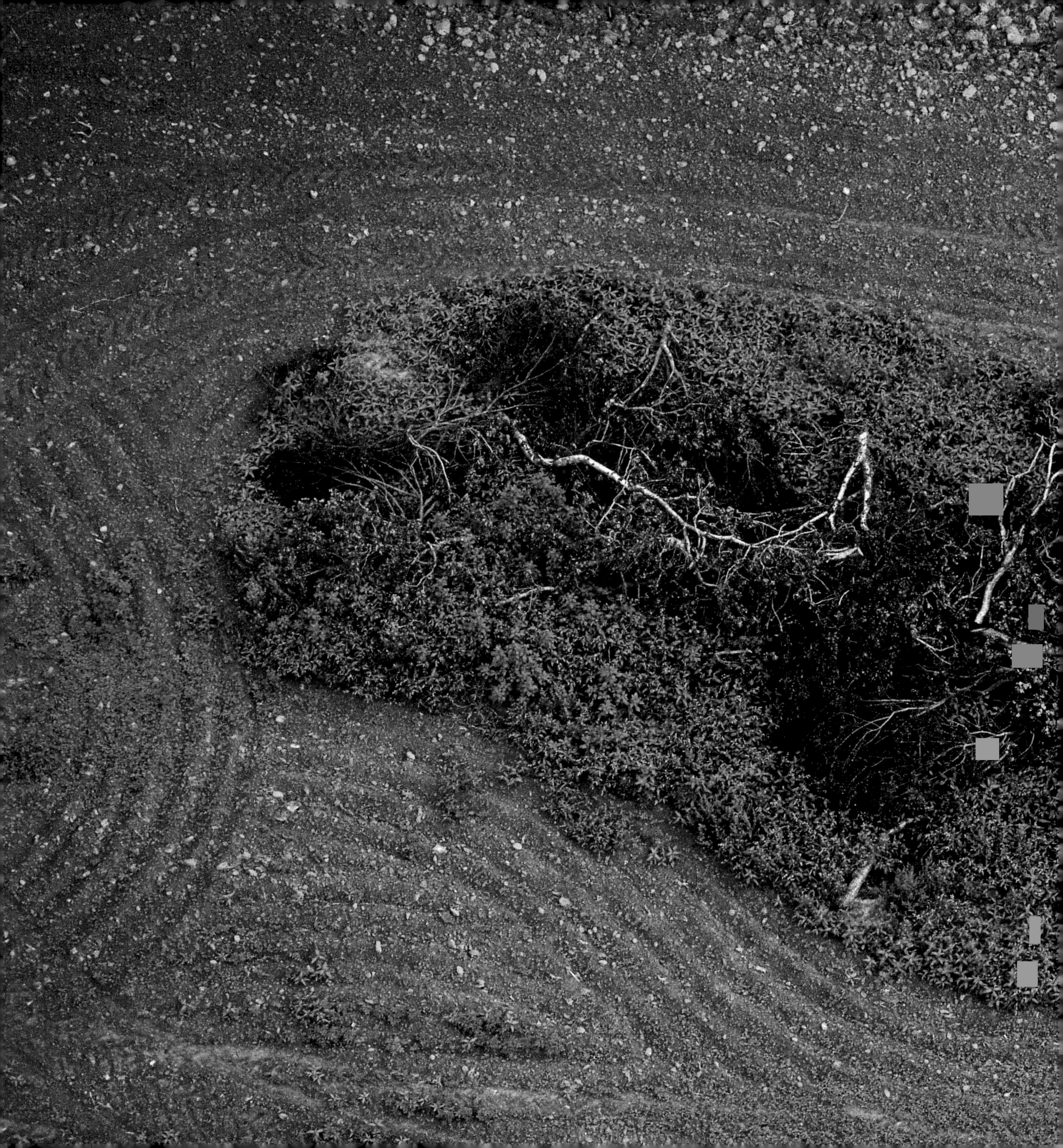

Double page précédente

• Surproduction de pommes à cidre en Bretagne.
La Bretagne est, avec la Normandie, l'une des grandes régions productrices de pommes à cidre en France. Cette filière, très importante au début du XXe siècle (avec près de 14 millions d'hectolitres en 1900), n'a cessé de décliner pour une consommation annuelle aujourd'hui évaluée à un million d'hectolitres, soit moins de deux litres par habitant et par an. Malgré le rajeunissement des vergers (1,5 million d'arbres en Bretagne) plantés en basses tiges depuis les années 1980, la surproduction reste un problème constant, comme ici près de Plougrescant, dans les Côtes-d'Armor. Alors que l'industrie du cidre, du jus de pomme et du pommeau utilise environ 203 000 tonnes de fruits par an, la production, elle, est évaluée à 500 000 ou 600 000 tonnes, dont une bonne partie sera perdue.

Ci-contre

• La lavande redonne des couleurs à la Haute-Provence.
Au plus bas de sa production, en 1992, avec vingt-cinq tonnes de lavande, la culture de cette fleur initialement sauvage, familière des terres arides, a repris de l'éclat, comme ici autour de Sarraud, sur les plateaux du Vaucluse. La lavande (4 600 hectares) et le lavandin (un hybride, 16 500 hectares) font vivre aujourd'hui 2 400 producteurs en Haute-Provence. En 2004, ces plantes ont fourni, après distillation, 71 tonnes d'huile essentielle de lavande fine et 1 250 tonnes d'huile essentielle de lavandin utilisées pour la parfumerie et l'aromathérapie. Le regain contribue au développement économique local et constitue un atout touristique.

Double page suivante

• Bivouac au sommet du mont Blanc.
Depuis la première ascension du mont Blanc, le 8 août 1786, par Jacques Balmat et Michel Paccard, ce sommet mythique est sorti de son superbe isolement. Les alpinistes n'hésitent plus à bivouaquer sur ses flancs et la Compagnie des guides de Chamonix (Haute-Savoie), fondée en 1821, y organise chaque été des trekkings. Une bonne météo est essentielle à la réussite de ces randonnées. Selon un dicton local, « si le mont Blanc met un bonnet [de nuages], il promet la tempête » et « s'il fume sa pipe [en soulevant des volutes de neige], il annonce un grand vent ».

Pages 90-91

• Reboisement dans les Pyrénées ariégeoises.
Les massifs pyrénéens de l'Ariège ont été utilisés après la Seconde Guerre mondiale pour faire rapidement pousser des résineux dont le bois servait à la reconstruction. Les plantations ont été effectuées en bandes sous les hêtres d'origine qui leur assuraient ombre et humidité, favorisant le développement des jeunes arbres. Des espèces « exotiques » venues d'Amérique du Nord, des sapins Douglas ou de Vancouver, ont ainsi été introduites. Aujourd'hui, l'équilibre écologique tend à se rompre : les hêtres reprennent le dessus, étendant leurs ramures sur les résineux et les étouffant. Ces problèmes sont localement gérés par l'Office national des forêts de Foix, qui veille à la bonne santé des massifs éventuellement replantés, comme ici, près de Seix.

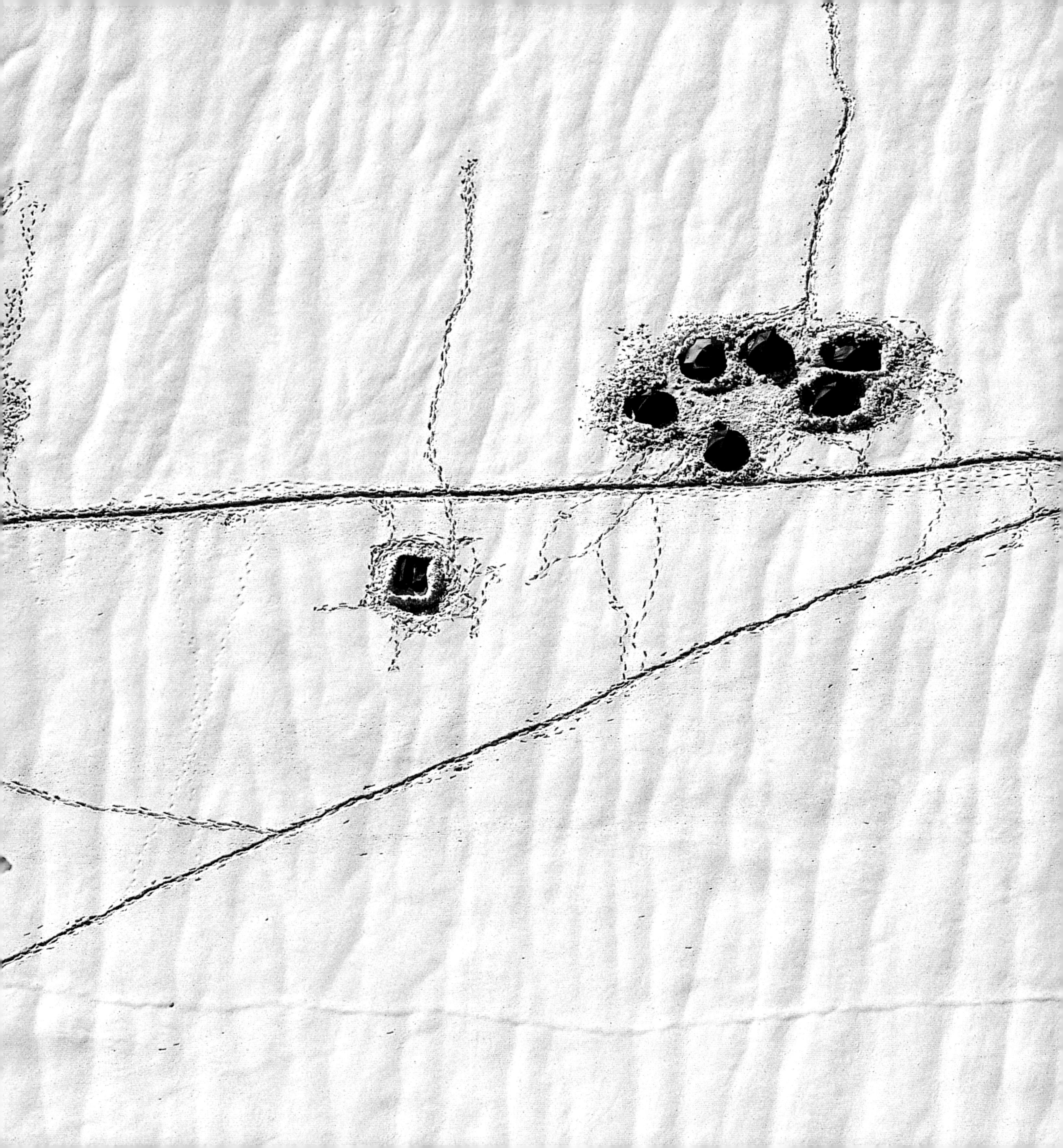

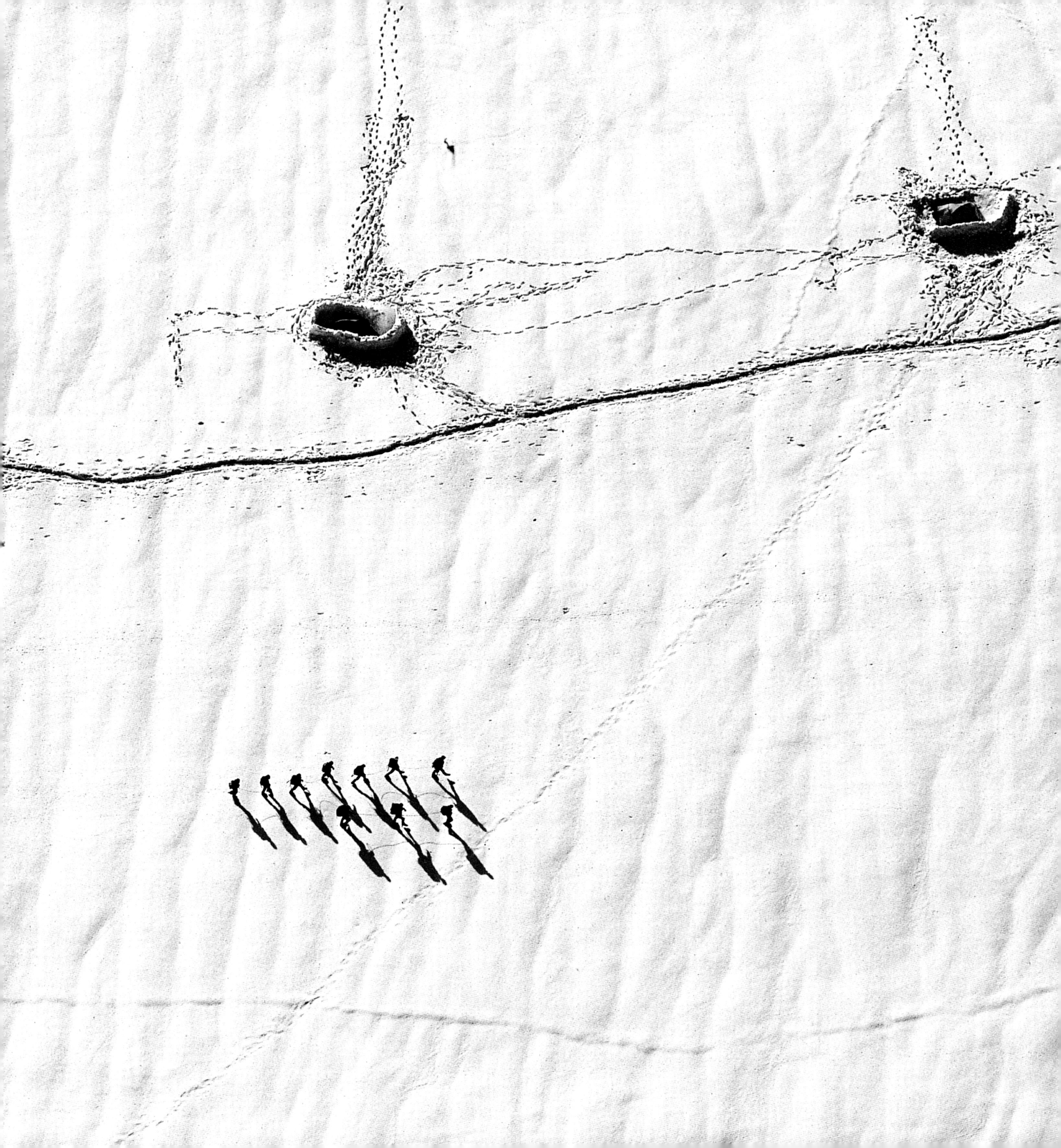

Double page précédente

• Reims, cathédrale des sacres.
L'essentiel du chantier gothique de la cathédrale de Notre-Dame de Reims (Marne) a été achevé en 1275, mais jamais l'édifice ne fut coiffé des sept flèches initialement prévues par ses bâtisseurs… Ses tours, en revanche, seront érigées aux XIVe et XVe siècles. Ici, vingt-cinq rois de France ont été sacrés, de Louis VIII, dans la cathédrale primitive en 1223, à Charles X en 1825, à l'exception d'Henri IV, couronné à Orléans en 1594. Durant des siècles, la monarchie verra dans cette onction le signe de sa légitimité de droit divin. Bombardée pendant la Première Guerre mondiale, la cathédrale de Reims restaurée est inscrite au patrimoine mondial de l'Unesco.

Je pensais faire une photo bien classique de la célèbre façade de la cathédrale, mais j'ai été attiré par la lumière du chevet qui donnait une toute autre vision du monument. - YAB
Je suis né aux pieds de cette cathédrale. Un demi-siècle plus tard je la survole enfin ! - PPDA

Ci-dessus et ci-contre

• La saline royale d'Arc-et-Senans.
Témoignage unique en France de l'architecture industrielle au siècle des Lumières, la saline d'Arc-et-Senans (Doubs) a été construite entre 1774 et 1779 par Claude Nicolas Ledoux, dans un style néoclassique ou palladien. Le sel francomtois, contenu dans une eau saline, y était récupéré par évaporation dans des fours alimentés au bois. Les bâtiments, déployés en demi-cercle autour de la maison du directeur, abritaient les ateliers et les logements des ouvriers. La saline, fermée en 1895, a été rachetée par le conseil général et restaurée. Elle est inscrite au patrimoine mondial de l'Unesco.

On dirait que les salines d'Arc-et-Senans, au tracé géométrique parfait, ont été réalisées pour être vues du ciel. - YAB

Ci-contre

• **La place Stanislas, à Nancy.**
La place Stanislas, au cœur de la ville de Nancy (Meurthe-et-Moselle), a été aménagée en 1752 par l'ancien roi de Pologne Stanislas Leszczynski, souverain éclairé devenu duc de Lorraine après le mariage de sa fille Marie avec Louis XV. Ce dernier était d'ailleurs représenté en statue sur cette place qui visait à l'éblouir, avec ses pavillons classiques dessinés par l'architecte Emmanuel Héré, alors que les grilles du palais, l'actuel hôtel de ville, étaient réalisées par Jean Lamour. Inscrite au patrimoine mondial de l'humanité, la place Stanislas constitue à présent l'un des plus beaux ensembles architecturaux français du XVIIIe siècle.

ci-dessous

• Le parc naturel régional des Volcans d'Auvergne.
Créé en 1977, le parc naturel régional des Volcans d'Auvergne s'étend sur 400 000 hectares dans les départements du Puy-de-Dôme et du Cantal. Au cœur du parc, le château de Montlosier, construit au début du XIXe siècle à Aydat (Puy-de-Dôme), abrite un centre d'informations sur la région, sa géologie (avec des volcans en modèle réduit), sa faune et sa flore. Ouvert toute l'année, il sert également de gîte d'étape. Par ailleurs, le Centre européen du volcanisme « Vulcania », construit près de Clermont-Ferrand à l'initiative de l'ancien président du conseil régional Valéry Giscard d'Estaing, a ouvert en 2002 sans rencontrer le succès escompté : 628 000 visiteurs la première année, 420 000 seulement en 2004 et un déficit de 2 millions d'euros.

Page de droite

• La chaîne des Puys, volcans d'Auvergne.
Dominée par le puy de Dôme, qui culmine à 1465 mètres, la chaîne des Puys regroupe une centaine de volcans sur cinquante kilomètres à l'ouest de Clermont-Ferrand (Puy-de-Dôme). Leurs premières éruptions ont eu lieu voilà environ soixante-dix mille ans. Certains, de type strombolien, présentent des cratères parfois transformés en lacs ; d'autres, de type péléen, ont libéré en leur temps des nuées ardentes. Ces paysages du Massif central, intégrés dans le Parc naturel régional des volcans d'Auvergne, sont uniques en France.

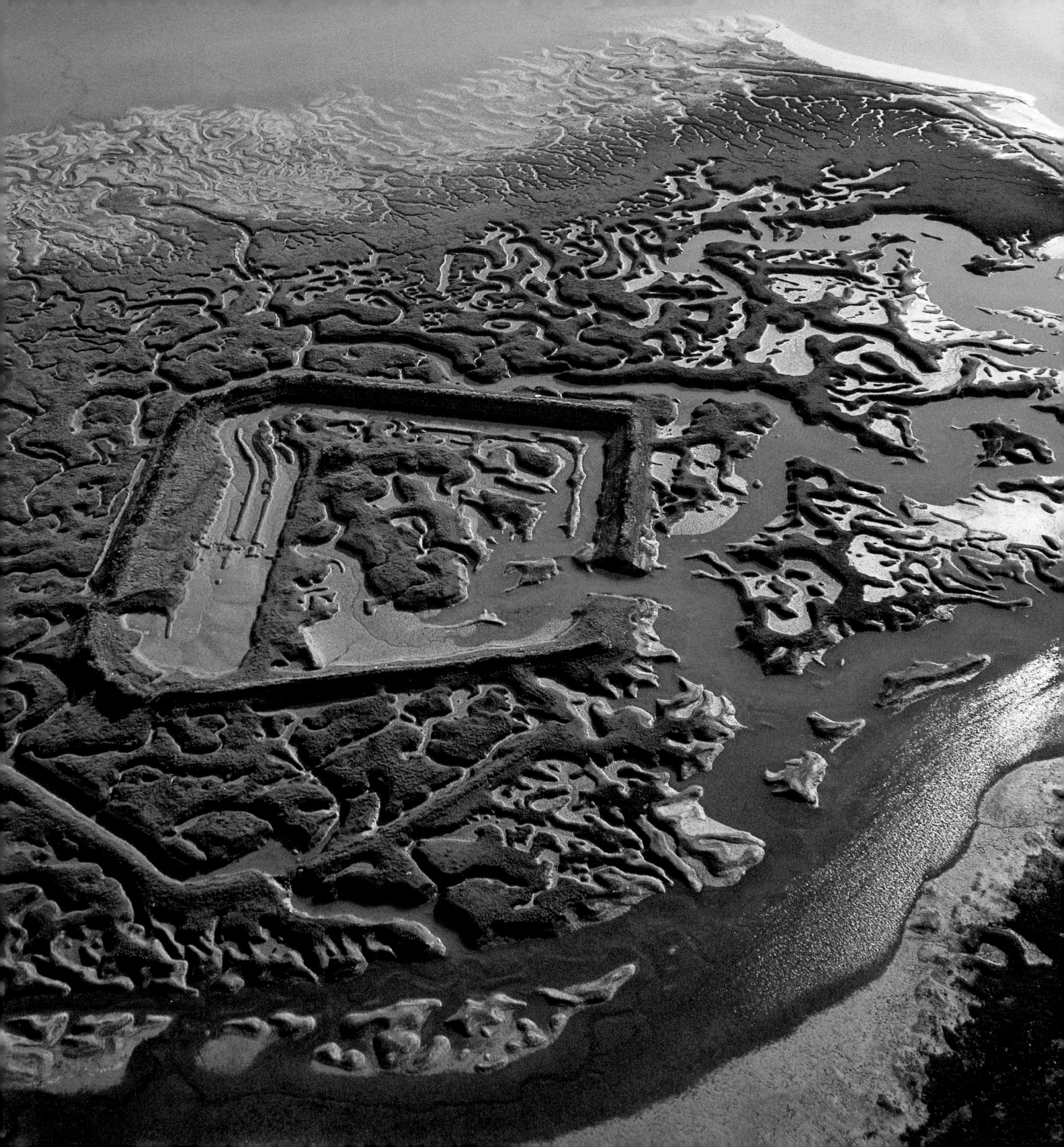

Page de gauche

Ci-contre

• **Saint-Suliac, un ancien camp viking.** Le village breton de Saint-Suliac (Ille-et-Vilaine), classé parmi les plus beaux de France, conserve des traces de sa fondation par les Vikings, il y a plus de mille ans. Les ruines d'un ancien camp fortifié, aménagé dans l'estuaire de la Rance par ces farouches envahisseurs venus en drakkars depuis la lointaine Scandinavie au XIe siècle, sont restées prisonnières de la vase. Aujourd'hui, elles sont difficiles d'accès, même à marée basse.

• **Un labyrinthe de maïs.** Inauguré en 1995, le concept du « Labyrinthus », tel un immense jeu de piste dans une jungle de maïs taillée sur mesure, a fait florès. Celui de Cordes-sur-Ciel (Tarn), au pied de la cité médiévale, a aujourd'hui disparu pour céder la place, intra-muros, à un « Jardin des paradis » consacré à l'art floral médiéval. En revanche, les Labyrinthus déploient toujours leurs pièges de verdure dans plusieurs régions de France, en Alsace ou en Midi-Pyrénées. Seul inconvénient de cette attraction : plantés de maïs, ces terrains de jeu se révèlent grands consommateurs d'eau.

Double page suivante

• **La brume sur la vallée de la Loire.** Les brumes matinales, produites par l'humidité ambiante associée à la baisse des températures durant la nuit, sont fréquentes dans la vallée de la Loire. Elles noient ici la campagne entre Nantes et Ancenis (Loire-Atlantique), donnant un certain romantisme au fleuve royal qui s'achemine vers son estuaire.

Cela ne me gène pas que, quelquefois, mes photos fassent penser à des cartes postales, comme ce clocher qui sort de la brume. Une carte postale c'est aussi une image que l'on a envie d'envoyer à ceux que l'on aime. - YAB

La brume, c'est comme de l'ouate ou du coton. Elle enveloppe les choses, assourdit les sons, et rend tout plus propre… Pour moi, c'est la Loire de Julien Gracq. - PPDA

Ci-dessous

• Le marché d'Aligre, l'un des plus vieux de Paris.
Depuis le déménagement des Halles à Rungis, au début des années 1970, le marché d'Aligre, dans le XIIe arrondissement, a repris le flambeau du « ventre de Paris ». Créé en 1779 et reconstruit en 1843 pour subvenir aux besoins des artisans ébénistes du faubourg Saint-Antoine, il alimente encore ce quartier proche de la Bastille, aujourd'hui très branché. Ouvert tous les matins, sauf le lundi, le marché d'Aligre propose sur ses étals colorés des produits du monde entier. Brocanteurs et fripiers se sont installés à ses portes, attirant des « chineurs » en quête de bonnes affaires.

L'âme de Paris n'existe plus aujourd'hui que dans les petits quartiers, et les petits quartiers tournent toujours autour d'un marché. Mais, réussir à trouver dans Paris une zone d'activités aussi chaleureuse et l'isoler du reste de la ville, des voitures, etc., c'est une performance alors que nous sommes dans une métropole de deux millions d'habitants et une mégapole de douze millions… – PPDA

Page de gauche

• Fixey, la plus ancienne église romane de la côte dijonnaise.
L'église romane de Fixey, dans un hameau de Fixin, en Côte-d'Or, est classée monument historique. Édifié en 902, remanié aux XIe et XIIe siècles, cet oratoire dédié à saint Antoine dépendait autrefois de l'abbaye Saint-Bénigne de Dijon. Son clocher en tuiles vernissées témoigne des traditions architecturales bourguignonnes et s'apparente par ses motifs géométriques aux toitures colorées des célèbres Hospices de Beaune. Dans cette région viticole, réputée pour ses crus depuis le Moyen Âge, l'église de Fixey surplombe le vignoble de Fixin (AOC depuis 1936), exposé à l'est sur un sol calcaire pierreux.

Double page suivante

• Les jardins de Villandry mettent en scène la nature.
L'art des jardins a refleuri dans le parc du château Renaissance de Villandry (Indre-et-Loire), après sa restauration au début du XXe siècle par le docteur Joachim Carvallo. Anticipant sur la passion des citadins pour ce loisir de plein air, cet esthète a domestiqué la nature pour la mettre en scène et recréer des jardins historiques, dans l'esprit de leur époque : planté de simples au Moyen Âge, dessiné à l'italienne pendant la Renaissance ou classique, avec sa pièce d'eau, sous Louis XV… Quant au potager, il aligne choux, betteraves, carottes et potirons au rythme des saisons, tout en respectant une rotation triennale pour ne pas appauvrir les sols.

Ci-contre

• Les nouvelles banlieues de Marne-la-Vallée. L'ouverture du parc Disneyland, dans les plaines de la Brie, à Marne-la-Vallée (Seine-et-Marne), a entraîné un développement rapide de l'agglomération. Le parc de loisirs a en effet généré quelque quarante-trois mille emplois directs ou indirects dans la région, modifiant la physionomie de ces campagnes autrefois rurales, désormais urbanisées en villes nouvelles et zones pavillonnaires.

Page 110

• La pluie bienvenue dans le Cher. La pluie alimente les cultures en période de sécheresse, ici près de Bourges dans le Cher. Avec le réchauffement climatique, le manque d'eau devient un élément préoccupant pour les agriculteurs. La surface des terres agricoles irriguées a en effet beaucoup progressé en France au cours des trente dernières années, passant de 0,8 million d'hectares en 1970 à 2,63 millions en 2000. Pourtant, avec une consommation évaluée à 3 265 mètres cubes d'eau par habitant, notre pays se situe légèrement au-dessous de la moyenne européenne qui se monte à 4 000 mètres cubes par habitant.

Page 111

• La période des vendanges dans le Lot. D'une manière générale, la maturité des grains de raisin est atteinte cent jours après la pleine floraison. La date des vendanges est donc essentielle pour la qualité du vin, comme celui de Cahors produit dans le Lot. Elle se situe entre août et octobre en fonction des cépages et des terroirs. Les vendanges manuelles qui nécessitent une main-d'œuvre onéreuse tendent aujourd'hui à disparaître au profit de la cueillette mécanisée des raisins, introduite en France dans les années 1960.

Page 112

• Voitures à la casse, près de Saint-Brieuc. Combien de véhicules accidentés, rouillés, inutilisables s'accumulent dans cette casse, à une quinzaine de kilomètres de Saint-Brieuc (Côtes-d'Armor) ? Chaque année, 8 à 9 millions de voitures sont mises au rebut en Europe, dont 2 millions en France, posant d'insurmontables problèmes de pollution. Une directive européenne impose à l'horizon 2006 le recyclage de 80 % de ces épaves, faisant exploser le marché de la ferraille. Les métaux se rachètent au poids entre 50 et 150 euros la tonne et les composants mécaniques en bon état rentrent dans le circuit des pièces de récupération.

Page 113

• Au mouillage près des îles de Glénan. Nombreux sont les voiliers à naviguer près des côtes de Bretagne, comme ici dans l'archipel de Glénan (Finistère). Autrefois sport d'élite, la voile a connu un essor considérable depuis les années 1990. On recense aujourd'hui quelque quatre millions de plaisanciers pour environ sept cent mille bateaux immatriculés. Parallèlement, la France s'est imposée dans la construction nautique, avec les chantiers vendéens Bénéteau, numéro un mondial dans le secteur de la voile. Les installations portuaires ont suivi le mouvement, qui offrent environ cent soixante-cinq mille anneaux auxquels s'ajoutent des mouillages forains le long du littoral. Revers de la médaille : les secours en mer interviennent dans 80 % des cas pour porter assistance à des plaisanciers en détresse.

ci-contre

• **Les alpages au pied des aiguilles de Varan.** Les aiguilles de Varan, en Haute-Savoie, dressent leurs parois minérales dans des paysages alpins. Formées de roches cristallines, l'aiguille Rouge culmine à 2636 mètres et la Grise à 2544 mètres. Les alpages aux herbes courtes s'étendent en vastes prairies à leurs pieds. De nombreux troupeaux de vaches laitières y pâturent pendant la transhumance d'été.

Page de gauche

• Biche en liberté dans la vallée de Chevreuse.
Créé en 1985, le Parc naturel régional de la Haute-Vallée de Chevreuse (Yvelines) constitue un véritable corridor écologique dans la région parisienne. Les massifs forestiers, dont la forêt de Rambouillet, occupent 40 % des 24 000 hectares ainsi protégés. Biches, cerfs et sangliers y trouvent en abondance de la nourriture même près des zones urbanisées, comme ici dans un champ de colza vers Cernay-la-Ville. Le parc régional, qui a le cerf pour emblème, organise à l'automne des sorties pour écouter bramer ces grands mammifères à l'époque du rut.

Ces gigantesques champs de colza, près des Vaux-de-Cernay, abritent des centaines de biches et de cerfs. Quand je les survole en hélicoptère, le bruit inquiète les animaux et je les vois surgir au milieu des fleurs. C'est spectaculaire. - YAB
Vus du ciel, le colza et le tournesol procurent une chaleur extraordinaire à la nature. C'est la couleur de l'été, elle donne donc espoir et patience. - PPDA

Ci-contre

• Le coq, un symbole bien français.
Ce coq, juché sur un clocher de la basilique de Notre-Dame-de-la Délivrance à Quintin (Côtes-d'Armor), pourrait à lui seul symboliser l'esprit français. L'origine de cet emblème cocardier est pourtant incertaine. Il semble que les Romains l'associaient déjà à nos ancêtres, désignant du même mot latin *gallus* le volatile et le Gaulois. Au XVIe siècle, en tout cas, François Ier prend un coq blanc pour emblème et Louis XIV l'utilise pour décorer la galerie des Glaces, à Versailles. Le coq survit aux révolutions et, en 1914-1918, la propagande nationale le montre dressé sur ses ergots pour défier l'aigle germanique. Si le maréchal Pétain lui préfère la francisque, il fait un retour triomphant à la Libération et apparaît en effigie sur les timbres édités en 1944, à la demande du général de Gaulle.

Grâce au téléobjectif, la photographie aérienne a beaucoup changé ainsi que la vision que l'on a du ciel. On peut y capturer des images étonnantes, comme ce coq qui se dresse en avant des toitures. - YAB
Quel beau symbole que celui du coq ! Il possède ce côté arrogant, parfois insupportable chez les Français, et vaniteux quand il a des poules autour de lui... Mais en même temps, il sait être courageux, y compris dans des conditions extrêmes. Cela ressemble bien au caractère français. - PPDA

Ci-contre

• **Les carrières d'ocres du Vaucluse.**
Les ocres proviennent d'un minerai très sableux coloré par un hydroxyde de fer : la goélithe, présent dans le Vaucluse autour de Roussillon, Apt et Gargas. Ces pigments, dont la gamme s'étend du brun au rouge vif et du jaune à l'orange foncé, sont utilisés depuis l'Antiquité. Leur extraction industrielle s'est développée au XIXe siècle, avec un tonnage de 40 000 tonnes à son apogée en 1929, pour colorer des produits manufacturés : caoutchouc, linoléums, filtres à cigarettes... Aujourd'hui, seules les carrières de Gargas sont encore exploitées. Mais les ocres connaissent un regain d'intérêt. Leur usage artisanal répond aux normes écologiques pour peindre, par exemple, des murs d'habitation. Le Conservatoire des ocres et des pigments appliqués, installé dans l'ancienne usine Mathieu, à Roussillon, accueille chaque année trente mille visiteurs et organise des stages d'initiation.

J'ai attendu la fin du jour, quand il n'y avait presque plus personne, pour photographier cette fracture de terre rouge, bordée d'un peu de verdure. Ces deux promeneurs donnent la dimension impressionnante de ce lieu- YAB
Je n'ai retrouvé les qualités de ce rouge qu'au beau milieu du désert du Ténéré. - PPDA

Ci-contre

• La basilique Notre-Dame-de-Fourvière, à Lyon.
La basilique Notre-Dame-de-Fourvière, à Lyon (Rhône), abrite une Vierge Noire qui aurait plusieurs fois sauvé la ville au cours des siècles, la protégeant de la peste en 1643, du choléra en 1832 et de l'invasion prussienne en 1870. Ce dernier miracle pousse l'archevêque Ginoulhiac à lui rendre grâce en édifiant un sanctuaire digne d'elle. De style néobyzantin, la basilique est l'œuvre de l'architecte lyonnais Pierre-Marie Bossan (1814-1888). Toujours très visitée, elle commande aussi un musée où fut exposé, au printemps 2005, le vestiaire du pape défunt Jean-Paul II : une soixantaine de pièces pour la plupart signées par le créateur italien Stefano Zanella, révolutionnaire de la mode liturgique.

Cette photo a été prise le 11 septembre 2001. Il faisait un temps magnifique. On venait d'apprendre les attentats à New York, sans en mesurer encore l'importance. On avait coupé la radio pour travailler tranquillement. Tout à coup, on a vu arriver un hélicoptère de la gendarmerie qui nous a fait signe de nous poser immédiatement... Depuis deux heures, chacun se demandait ce que faisait notre appareil à survoler la ville, alors que tout le monde était traumatisé par les images des attentats. - YAB
Cette lumière dorée sied bien à Lyon. C'est une ville assez discrète, dont les paysages vallonnés, entre Saône et Rhône, dégagent une certaine douceur. - PPDA

Double page suivante

• La Grande Arche de La Défense.
La Grande Arche de La Défense, construite à Puteaux (Hauts-de-Seine) par l'architecte danois Otto von Spreckelsen, a été achevée le 14 juillet 1989 pour le bicentenaire de la Révolution. Ce cube gigantesque mesure 110 mètres de côté, avec trente-sept niveaux et un toit-terrasse accessibles par ascenseur. Il pèse 300 000 tonnes et repose sur quatre méga-poutres et douze points porteurs. La Défense constitue le plus grand pôle d'affaires européen, avec son parvis et ses gratte-ciel abritant le siège social de plusieurs grandes entreprises.

L'Arche me paraît être une réussite complète. - YAB
Pour être franc, c'est bien la seule réussite de La Défense. Le reste est très anarchique. Depuis le fameux schéma d'aménagement de La Défense, les constructions ont été disséminées n'importe comment. L'Arche est insuffisamment valorisée par son environnement immédiat. - PPDA
Ce qui ne fonctionne pas à La Défense, ce n'est pas tant l'architecture que l'organisation de la vie urbaine... Il faut tourner pendant des heures avant de comprendre où l'on est... - YAB

CREDIT LYONNAIS
MERIDIEN
HOTEL

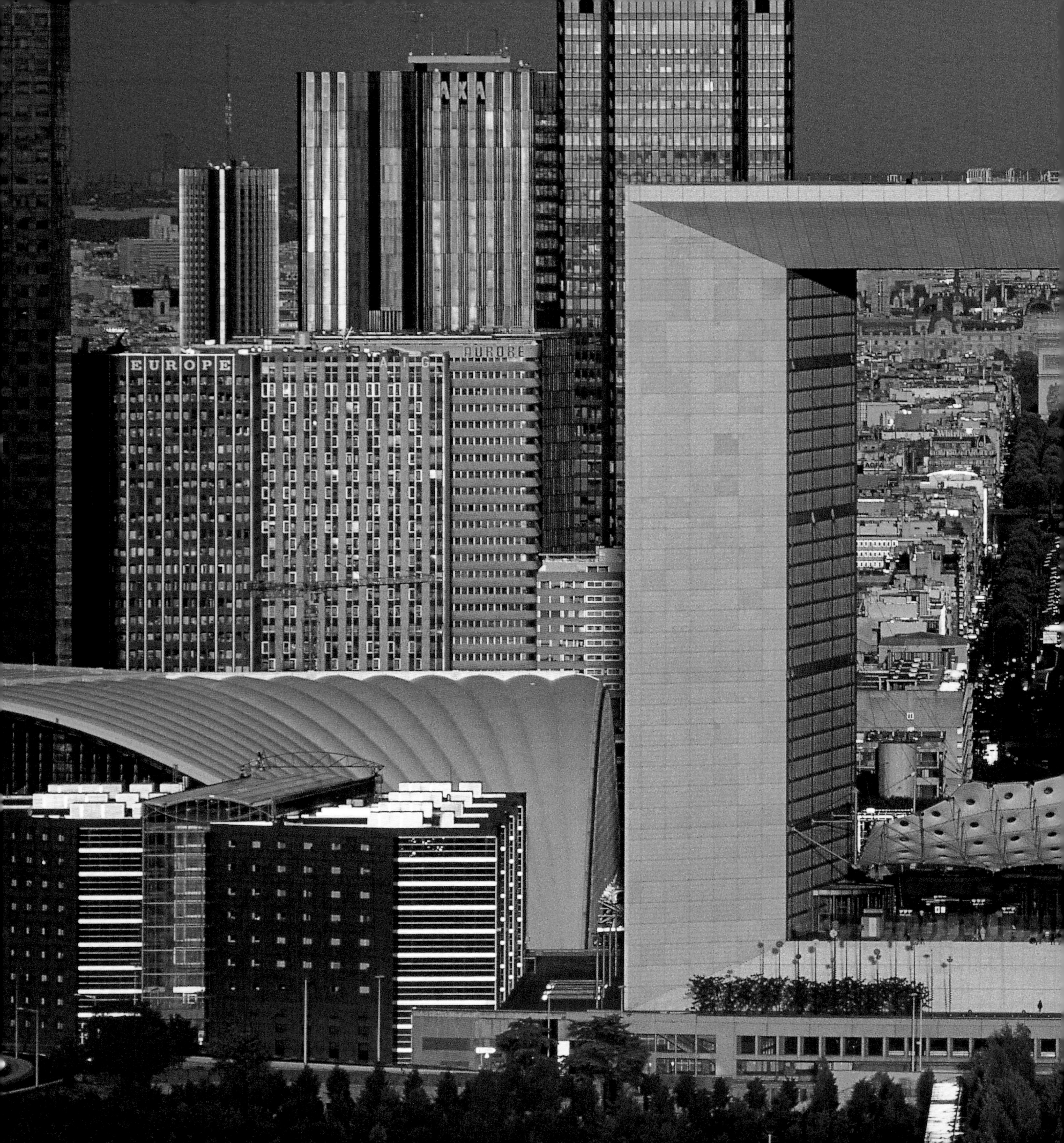
EUROPE
AIG

ARIANE
TOTAL

Ci-contre

• L'art éphémère des jardins à Chaumont-sur-Loire.
Le parc du château de Chaumont-sur-Loire (Loir-et-Cher) héberge depuis 1992 le Festival international des jardins. Les trois hectares de jardins ont été redessinés par le paysagiste belge Jacques Wirtz, qui a conçu une trentaine de parcelles, reliées par des allées et représentant les feuilles stylisées d'un tulipier de Virginie. Chaque été, des artistes français ou étrangers exposent des floraisons éphémères sur un thème imposé : « la Mémoire » en 2005, « Jouer au jardin » en 2006…

Page de droite

• Coup de froid sur les arbres fruitiers de Lorraine.
La Lorraine connaît un climat déjà continental, avec des hivers rudes recouvrant de gel les arbres fruitiers, comme ici au bord de la rivière Seille (Meurthe-et-Moselle). Les vergers de la région, plantés de 300 000 mirabelliers sur les versants bien exposés, fournissent 70 % de la production mondiale de mirabelles, un fruit charnu qui se récolte à la fin de l'été. Chaque arbre en produit en moyenne 80 kilos.

Page 126

• Le port de Nantes-Saint-Nazaire.
Le port autonome de Nantes-Saint-Nazaire (Loire-Atlantique), quatrième port de France à vocation internationale, déploie ses importantes installations sur l'estuaire de la Loire, à quelque cinquante kilomètres de l'océan. Il traite plus de 32 millions de tonnes de marchandises par an, dont 77 % d'hydrocarbures. Le terminal pétrolier aménagé à Donges accueille des navires de 150 000 tonnes. La raffinerie, dont on voit ici les torchères, couvre près de 300 hectares et assure le traitement annuel de plus de 8 millions de tonnes de pétrole brut. Au total, le port de Nantes-Saint-Nazaire fournit 5 000 emplois directs et 25 000 emplois indirects.

Page 127

• Le phare de Tévennec, dans le raz de Sein.
La navigation entre la pointe du Raz et l'île de Sein (Finistère) a toujours été dangereuse et les naufrages autrefois fréquents. Pour guider les marins entre courants et récifs, la création du phare de Tévennec, sur l'îlot du même nom, a été décidée en 1869. Sa construction exigera cinq ans, avant que le feu soit allumé pour la première fois le 15 mars 1875. Mais des « récits lugubres » courraient sur ce fanal. L'écrivain breton Anatole Le Braz établira sa légende de « lieu maudit » en racontant que les gardiens du phare, morts à la tâche, venaient hanter les lieux. Alimenté au gaz puis au propane, le phare de Tévennec, qui n'est plus habité, fonctionne depuis 1994 grâce à des panneaux solaires.

Ce petit phare avait été pris dans la tempête, près d'Ouessant. Pour faire cette photo, j'ai dû attendre que le vent soit tombé alors que l'eau restait encore bouillonnante. - YAB

Un phare rassure toujours le marin dans la tempête. Il peut aussi l'inquiéter quand il le voit de trop près. Mais il s'agira toujours de la construction humaine la plus proche de la spiritualité. - PPDA

Double page précédente

● **Saint-Laurent-des-Eaux, parmi les premières centrales nucléaires de France.** Deuxième centrale du parc nucléaire français après celle de Chinon (1963), Saint-Laurent-des-Eaux (Loir-et-Cher) est en exploitation depuis 1969 sur les bords de la Loire. Deux de ses réacteurs ont été définitivement arrêtés en 1992 ; deux autres, inaugurés en 1981, fonctionnent toujours. L'établissement, propriété d'EDF, emploie environ sept cents personnes. Avec vingt-cinq centrales réparties à travers le pays depuis le choc pétrolier de 1973 et cinquante-huit réacteurs en activité d'une puissance de 63 200 mégawatts, la France assure 78 % de sa production électrique (soit un taux d'indépendance énergétique voisin de 50 %).

Ci-contre

● **La carrière de talc de Trimouns.** Le gisement de talc de Trimouns (Ariège) s'est formé voilà environ trois cents millions d'années. Il s'agit d'un silicate de magnésium que l'on rencontre dans les sols de schistes cristallins. Les hommes préhistoriques utilisaient déjà le talc dans leurs peintures rupestres, mais son exploitation industrielle ne commence qu'au XIXe siècle. Il faut extraire 8 tonnes de déblais pour obtenir environ 1 tonne de talc, ensuite broyé dans des moulins à farine. Les carrières à ciel ouvert de Luzenac emploient aujourd'hui encore quelque trois cents salariés et une centaine de saisonniers. Ce gisement est considéré comme le plus grand du monde.

Double page précédente

• La punta di Rondinara, en Corse.
Entre Porto-Vecchio et Bonifacio, au sud de la Corse, la punta di Rondinara se décompose lentement, sous l'effet de l'érosion, en plages de sable fin. Elle témoigne des reliefs étonnants qui façonnent l'île de Beauté, mélange incomparable de douceur avec ses golfes ouverts vers le large et d'aridité avec ses montagnes abruptes qui dominent la mer. Inaccessible et convoitée, la Corse (8680 km^2) fut pendant des siècles considérée comme une île citadelle. Aujourd'hui encore, elle revendique sa spécificité.

La Corse ne s'appelle pas l'île de Beauté par hasard… C'est une des plus belles îles que je connaisse avec celles de Polynésie. La Corse a engendré Napoléon qui va devenir le plus grand chef de guerre français avec donc une face sombre, mais c'est aussi un génie absolu. Et puis, il y a ce désir très ancré dans la population de préserver ses racines et ses côtes… Elle y a formidablement réussi. - PPDA

Ci-contre

Page de droite

• Bairols, village perché de Haute-Provence.
Pittoresque avec ses maisons coiffées de tuiles romaines, le village d'Auvare (Alpes-Maritimes) se dresse sur un piton rocheux dominant à 830 mètres d'altitude la vallée de la Tinée. La vie y a été longtemps difficile, rythmée par les chaleurs de l'été et les frimas de l'hiver, et le village a failli mourir abandonné. Aujourd'hui, ses ruelles moyenâgeuses, ses passages couverts et ses vieilles façades ont été restaurés et Bairols, entouré d'un parc naturel de 1400 hectares, reprend vie avec 114 habitants.

• La ville close de Talmont-sur-Gironde.
En Charente-Maritime, la bastide de Talmont, blottie entre ses remparts, a été fondée en 1284 par le roi Édouard Ier d'Angleterre qui régnait alors sur l'Aquitaine et les rives de la Gironde. La ville close se dresse sur une presqu'île dominant l'estuaire, avec ses rues étroites plantées de roses trémières et ses maisons basses, peintes en blanc derrière des volets de couleur pastel. L'église romane Sainte-Radegonde est bâtie en à-pic au-dessus des eaux. À proximité, la pêche traditionnelle au carrelet continue d'attirer les amateurs.

Ci-contre

• Inondations à Taponas, dans le Rhône.
Construit à 175 mètres d'altitude à proximité de la Saône, Taponas (572 habitants, dans le Rhône) s'enorgueillit de ses îles et de ses « lônes », des bras de rivière comblés par des dépôts alluvionnaires. Aulnes et cornouillers, plongeant leurs racines dans l'eau, y prennent des allures de mangrove d'une grande richesse écologique. On y trouve des nénuphars jaunes et de nombreuses colonies de hérons. Mais du 20 au 23 mars 2001, la région a connu des inondations catastrophiques. Comme Taponas, quelque 310 communes dans la vallée du Rhône et leurs 556 000 habitants vivent sous la menace d'une crue intempestive.

Même une inondation peut susciter une image graphique. J'ai fait abstraction du désastre pour mettre en évidence l'aspect graphique de ces arbres. - YAB

On a l'impression qu'ils en ont vu d'autres ! Il doit y avoir des inondations une ou deux fois par an par ici... La Saône a besoin de prendre ses aises et, apparemment, les arbres n'ont pas l'air de s'en plaindre ! - PPDA

Ci-contre

• L'agriculture aux portes des villes.
L'avenir de l'agriculture dans les espaces périurbains (ici dans les Yvelines) soulève des difficultés. Dans ce département, les cultures, maraîchages, céréales, arboriculture, occupent 43 % du territoire avec un nombre réduit d'exploitations (1 270 en 2000) employant moins de 0,5 % de la population. En revanche, la ville a tendance à grignoter les espaces agricoles, fichant des pylônes électriques dans les jardins ouvriers, transformant les champs en décharges sauvages ou jetant l'opprobre sur les tracteurs qui encombrent les routes. Pour tenter d'harmoniser les points de vue, la prochaine « loi de modernisation sur l'agriculture » devrait encourager la rotation des cultures, diversifier les paysages et favoriser une industrie agroalimentaire associée aux productions nouvelles, petits pois ou colza.

Le jardin ouvrier est typiquement français. Il a été créé à la fin du XIXe siècle et a connu un grand succès après la Seconde Guerre mondiale. Ce travail de la terre libère l'esprit et ce serait bien que chaque Français ait son lopin de terre. - YAB
Je les trouve sublimes parce qu'ils transposent une certaine image du bonheur… Avoir un lopin à soi, c'est important! En revanche, ces pylônes sont hideux. Ils défigurent les paysages français alors qu'en Angleterre ou en Suède, tous les fils électriques sont enterrés. Ici, ces immenses Meccano n'ont même pas l'excuse de la grâce. - PPDA

Double page suivante

• Le village martyr d'Oradour-sur-Glane.
Ici, la vie s'est arrêtée le 10 juin 1944. Quatre jours après le débarquement des troupes alliées en Normandie, des Waffen SS de la division Das Reich, stationnés en Haute-Vienne et qui avaient reçu l'ordre de « nettoyer le secteur », allaient investir la petite commune rurale d'Oradour-sur-Glane. Les hommes furent tués sur place, les femmes et les enfants regroupés et massacrés dans l'église. Le village fut ensuite pillé et incendié. Des ruines, furent retirées 642 victimes, dont une sur dix à peine était identifiable. Aujourd'hui, deux mille personnes vivent à Oradour-sur-Glane reconstruit et le village martyr, devenu Centre de mémoire, accueille chaque année trois cent mille visiteurs.

J'ai été très ému en photographiant Oradour-sur-Glane. Ce village martyr est un symbole de l'horreur absolue et la photo traduit à peine la réalité de cette horreur. - YAB
J'ai visité Oradour avec mon fils aîné. Quand on arrive dans ce village fantôme, le silence s'impose. On n'a plus le droit de parler. On regarde, puis on ferme les yeux ; on devine qu'il y a eu des vies, et de la vie tout simplement… Ensuite sont venues la traîtrise, la saloperie et la douleur. - PPDA

Ci-contre

• La cité gallo-romaine de Diodurum, vers Pontchartrain.
L'importance de la cité gallo-romaine de Diodurum, près de Jouars-Pontchartrain, dans les Yvelines, n'a été scientifiquement établie qu'à partir de 1976 par photos aériennes et quatre années de fouilles de sauvetage, entre 1994 et 1998, qui ont permis d'en étudier des vestiges avant que le site disparaisse sous les remblais de la RN 12. Les ruines d'une ferme cistercienne, la ferme d'Ithe, installée sur le site au XIe siècle, font actuellement l'objet d'un projet d'études scientifiques et patrimoniales. Les collections antiques de Diodurum pourraient un jour y être regroupées, assurant la postérité de l'ancienne « Cité des dieux ».

On a retrouvé les ruines de la cité de Diodurum, près de Pontchartrain. C'était l'une des plus grandes villes gallo-romaines construites autour de Paris. Elle s'étendait sur des hectares. Comme les archéologues ne pouvaient pas fouiller toute la zone, ils ont fait des recherches uniquement à l'emplacement de la nouvelle route. - YAB
Cela montre bien les strates non seulement géologiques mais aussi historiques de la France, qui s'est bâtie sur de multiples civilisations, notamment romaine. - PPDA

Page 144

• Une installation du sculpteur Arman.
Plantée en 1982 à Jouy-en-Josas (Yvelines), dans les jardins de la Fondation Cartier (à présent installée boulevard Raspail, à Paris), cette sculpture baptisée *Long Term Parking* par son créateur Armand Fernandez, dit Arman, est indéboulonnable ou presque. Soixante voitures y sont empilées, prisonnières d'une gangue de béton. L'œuvre entendait ainsi satisfaire aux exigences du nouveau réalisme, un courant esthétique fondé en 1960 qui prétendait au « recyclage poétique du réel urbain, industriel et publicitaire ». Né en 1928 à Nice et naturalisé américain, Arman en était l'un des principaux animateurs avec d'autres artistes, tels César ou Niki de Saint-Phalle.

C'est une œuvre du sculpteur Arman qui travaille sur les accumulations. Comme photographe, cette sculpture m'intéresse car je me sens toujours attiré par les empilements de toutes sortes : des pneus, des carcasses, des bidons... - YAB

Page 145

• Le rêve français d'accéder à la propriété.
Le développement des zones pavillonnaires, comme ici dans les Yvelines, a répondu au désir d'accession à la propriété qui s'est emparé des Français avec l'essor économique des Trente Glorieuses. La « périurbanisation », alignant des maisons souvent identiques, a débuté dans les années 1970 autour de Paris. Le phénomène s'est ensuite propagé en province. Aujourd'hui, la ville tend à se redéployer vers la campagne, empiétant sur les zones rurales pour former une « deuxième couronne périphérique » où se côtoient bungalows, pavillons préfabriqués et fermes restaurées. Cette « rurbanisation » mite les paysages français.

D'après les sondages, le rêve numéro un des Français, c'est de posséder un pavillon ou une maison particulière. - YAB
Vivre chez soi, avec sa famille... C'est une image du bonheur, mais tout un peuple y aspire. - PPDA

Page de gauche

Ci-contre

• Le chantier médiéval de Guédelon.
Inauguré en 1998 à Treigny, dans l'Yonne, ce chantier original s'est donné pour mission de construire un château fort avec les matériaux et selon les méthodes du XIIIe siècle. Les travaux, orchestrés par Michel Guyot, un passionné de vieilles pierres à l'initiative du projet, devraient durer une vingtaine d'années. Des artisans représentant une dizaine de corps de métier : charpentiers, carriers tailleurs de pierre et encore maçons ou chaufourniers, renouent ainsi avec des savoir-faire disparus. À charge pour eux de faire sortir de terre courtines et donjon. Le site, à vocation historique et scientifique mais aussi pédagogique, a reçu deux cent vingt mille visiteurs en 2004, dont quatre-vingt mille enfants.

• Disneyland Resort Paris, à Marne-la-Vallée.
Depuis son ouverture en 1992,à Marne-la-Vallée (Seine-et-Marne), ce parc de loisirs s'est imposé comme la première destination touristique d'Europe avec plus de douze millions de visiteurs par an. Le site – 30 000 mètres carrés à proximité de Paris – est desservi aussi bien par la route que par le train, avec notamment l'aménagement, en 1994, d'une gare spéciale de TGV. Des attractions spectaculaires, mais aussi des hôtels, une soixantaine de restaurants, autant de boutiques et un golf ont permis de créer directement ou indirectement quarante-trois mille emplois dans la région et douze mille personnes travaillent en moyenne dans le parc d'Eurodisney.

J'aime beaucoup ce parallèle entre un château de carton-pâte réalisé en quelques mois et un vrai château fort, construit comme au Moyen Âge, qui ne sera terminé que dans une vingtaine d'années. Après, il est prévu de bâtir une abbaye cistercienne, dans les mêmes conditions... - YAB

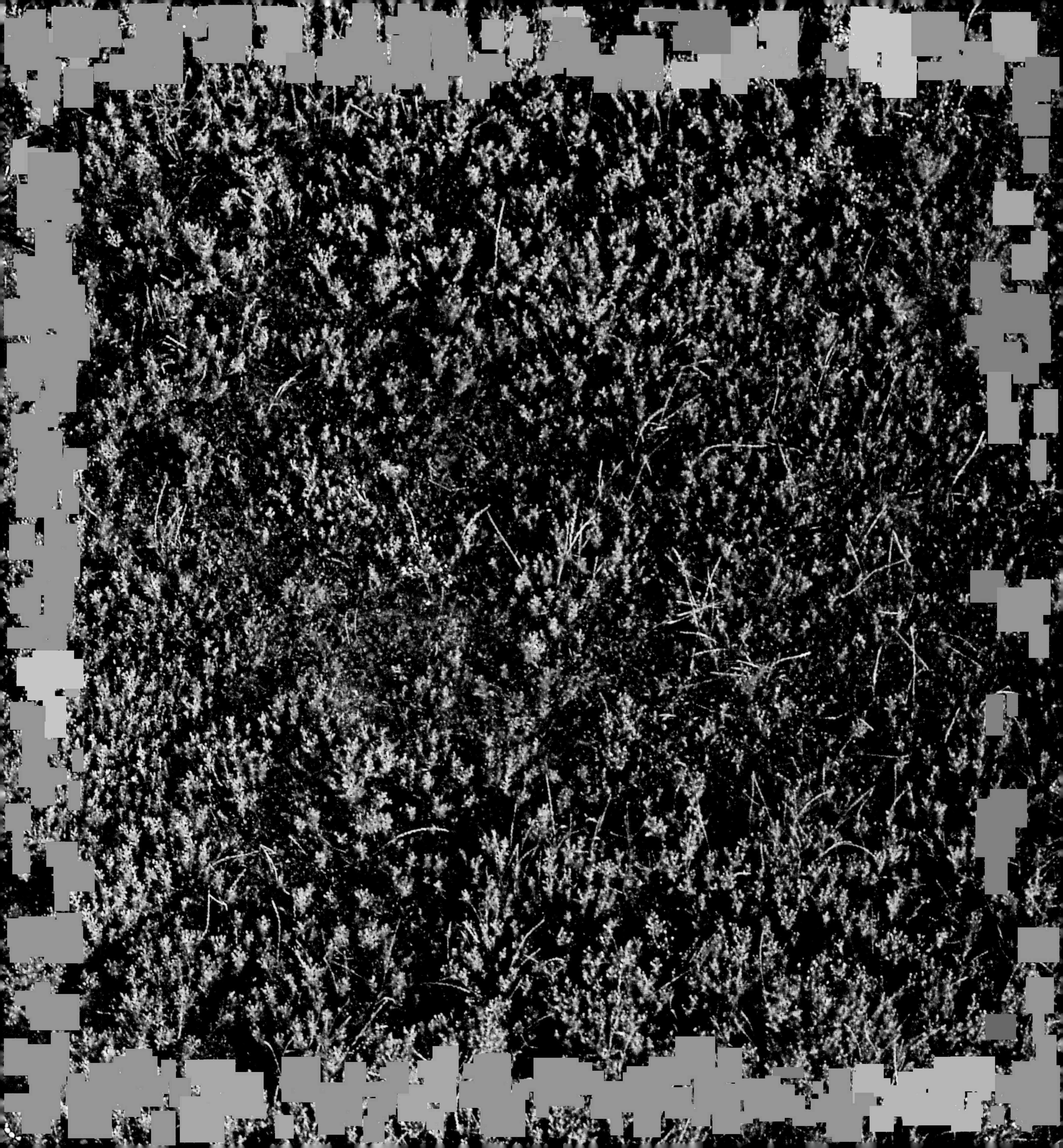

Double page précédente

• Élevage de porcs en Haute-Normandie. Cette truie est sans doute l'une des dernières élevée en plein air, près de Brionne dans l'Eure. Ce département de Haute-Normandie, spécialisé dans l'agriculture, ne compte plus qu'une dizaine d'élevages extensifs de ce type. Les bêtes (une soixantaine par hectare) y ont de la place pour s'ébattre et leur alimentation est strictement contrôlée, de sorte qu'elles fournissent une viande de qualité reconnue par un label rouge. Mais beaucoup de porcs sont élevés « hors sol », sur caillebotis, dans des bâtiments clos, pour un coût beaucoup moins élevé.

Je suis totalement opposé aux élevages industriels où les bêtes ne peuvent pas bouger et où les truies sont immobilisées avec des sangles pour ne pas écraser leurs petits tellement elles manquent de place. On doit respecter la vie sous toutes ses formes. - YAB

D'autant que ces élevages intensifs engendrent du lisier, qui produit du nitrate et que ce nitrate donne à son tour naissance aux algues vertes en se répandant dans l'eau, surtout l'eau de mer. Quelques-unes de nos côtes sont en train d'être défigurées. - PPDA

Ci-contre

• En vacances près de Saint-Raphaël. Les plages de la côte méditerranéenne, ici près de Saint-Raphaël (Var), attirent toujours la foule des estivants. Mais le tourisme de masse, caractéristique de ces dernières décennies, semble marquer le pas. Aujourd'hui, les Français fragmentent et diversifient davantage leurs vacances. Ils ne sont plus que 43 % à séjourner au bord de la mer en été, contre 46 % dix ans plus tôt. Alors que la campagne reste une destination de week-ends, les voyages à l'étranger tendent à se substituer aux journées de farniente sur une plage ensoleillée.

Je rentre d'Algérie, et là-bas, les gens n'aiment pas le soleil. Ils ont tous des parasols sur la plage... Alors qu'en France, la culture du bronzage domine, et la plage reste un lieu privilégié. - YAB

Cette extrême concentration laisse songeur quand on fait l'addition des centaines de côtes désertes en France. Peut-être encore un vieux fond d'instinct grégaire... - PPDA

Ci-dessous

• Les plages privées de Saint-Tropez.
Chaises longues et parasols sont payants à Saint-Tropez (Var),où plusieurs plages privées avec restaurants, boissons fraîches et locations de serviettes, attirent une clientèle privilégiée. Cependant le rivage, c'est-à-dire la portion du littoral située entre la mer et le point le plus haut qu'elle atteint lors des grandes marées, relève toujours du domaine maritime public et reste en principe accessible à tous.

Page de droite

• La reconversion du pays minier.
Alors que l'on extrayait encore 1 447 000 tonnes de charbon en 1945 à Hénin-Beaumont (Pas-de-Calais), la cité minière a dû se reconvertir après la fermeture du dernier puits, en 1973. Profitant de sa position géographique, à trente kilomètres de l'agglomération lilloise et près de plusieurs capitales européennes, la ville et ses 27 000 habitants parient désormais sur le secteur tertiaire pour se développer. Cinq zones économiques ont été créées sur 200 hectares pour accueillir de nouvelles entreprises, et les corons, résidences traditionnelles des mineurs, ont fait peau neuve. La revalorisation de ce patrimoine est devenue symbolique du renouveau urbain.

Double page suivante

• La décharge d'Entressen, poubelle de Marseille.
La décharge d'Entressen, dans la plaine de Crau, à soixante-dix kilomètres de Marseille (Bouches-du-Rhône), est l'une des plus grandes de France à ciel ouvert. Les déchets, qui s'entassent ici depuis près d'un siècle, représentent aujourd'hui quelque 600 000 tonnes par an. La pollution couvre plus de 80 hectares et dès que le vent se lève, les moutons des alentours broutent dans des champs envahis par les sacs en plastique que transporte le mistral.
Après un rappel à l'ordre de la Commission européenne, la communauté urbaine de Marseille s'est engagée à fermer la décharge d'Entressen à la fin 2006. Elle sera remplacée par un incinérateur, à Fos-sur-Mer.

Cette décharge est la plus grande d'Europe. Le jour où j'y suis allé, le grillage avait été cassé et le vent avait dispersé des milliers de sacs en plastique dans toute la Camargue. Chaque année les français jettent 3 000 000 de sacs en plastique et chaque jour cette décharge reçoit 1 400 tonnes de déchets. - YAB

Cette décharge est le symbole de l'hyperconsommation, mais aussi de tout ce qui n'a pas été bien pensé : comment ne pas avoir imaginé bien en amont d'autres solutions pour la deuxième ville de France ? On a pris conscience des pollutions engendrées par les sacs plastique et de nombreux supermarchés renoncent à présent à en distribuer. - PPDA

D7H

Ci-dessous

• La marée noire au large du Pays basque. Le 19 novembre 2002, le pétrolier *Le Prestige* s'échoue au large des côtes espagnoles de la Galice, souillant le littoral de l'océan Atlantique jusqu'en France. Le navire transportait 77000 tonnes de fioul qui se sont répandues dans le golfe de Gascogne. Pour lutter contre cette marée noire, les pêcheurs de Saint-Jean-de-Luz (Pyrénées-Atlantiques) ne disposaient que de moyens dérisoires, ramassant ici les boulettes d'hydrocarbure avec des épuisettes. Un an après le drame, des traces de pétrole maculaient encore les plages. Le coût de cette catastrophe a été évalué, pour l'Espagne et la France, à plus de 1 milliard d'euros.

Ces pêcheurs ramassent le fioul, après le naufrage du Prestige, avec des épuisettes! Alors que l'industrie du pétrole est la plus grosse industrie du monde! Je trouve ça dérisoire et absurde. - YAB
J'en veux beaucoup, comme tous les amoureux de la nature, à ceux qui ont confié le transport du pétrole, matière noble en soi, à des affréteurs peu scrupuleux. Que de dégâts pour un petit bénéfice... - PPDA

Page de droite

• L'épuration des eaux usées dans la Marne. L'assainissement des eaux, ici près de Châlons-en-Champagne, dans la Marne, reste encore une question difficile en France où la collecte des eaux usées (lessives, cuisines, toilettes...) demeure globalement insuffisante : seules, 35 % des eaux domestiques sont dépolluées. Ce retard français, dû au manque d'installations techniques, a été condamné en 2004 par la Cour de justice européenne. Une directive de Bruxelles fait en effet obligation à toutes les communes du territoire de retraiter les eaux collectées avant la fin 2005.

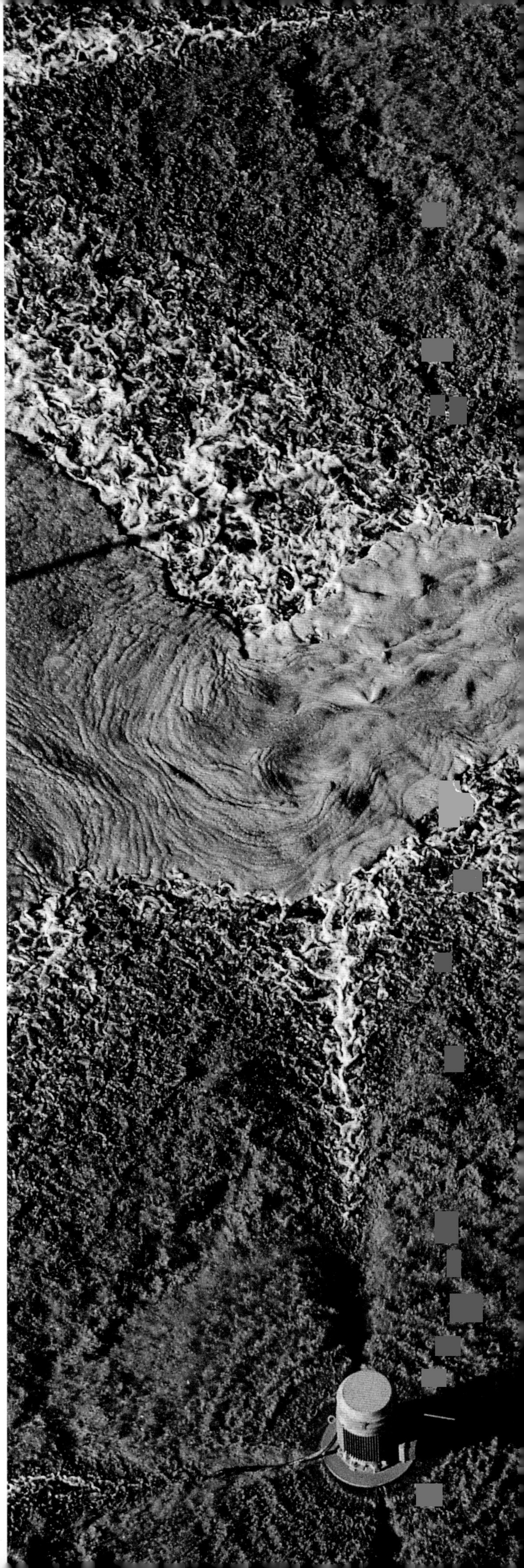

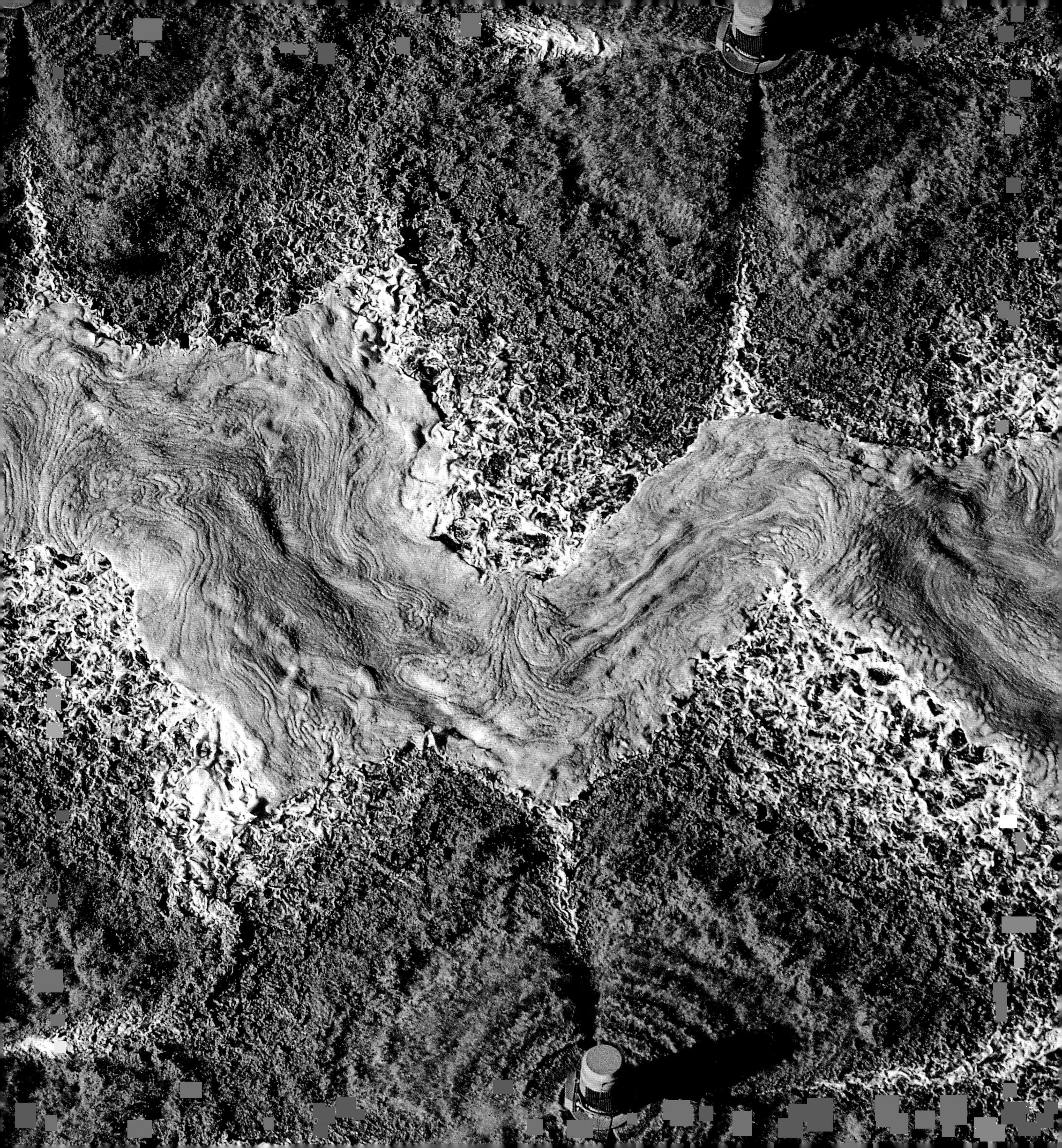

Page de gauche

● « Challenger », siège de la société Bouygues, à Guyancourt.
Appelée « Challenger » et surnommée « le Versailles des temps modernes », cette propriété futuriste, à Guyancourt (Yvelines), abrite le siège de la société Bouygues, spécialisée dans la construction, les télécoms et les médias. Conçue par l'architecte américain Kevin Roche, elle a été construite en 1985 sur un terrain de 30 hectares. Les bâtiments sont recouverts d'une membrane synthétique qui renvoie la lumière vers le sol et ne prend pas la poussière. Les jardins paysagers sont l'œuvre de l'Anglais sir Shepheard. Les bassins qui bordent l'allée centrale constituent une réserve d'eau pour l'arrosage et en cas d'incendie. Implantée dans quatre-vingts pays, la société Bouygues emploie 113 300 collaborateurs.

Le château de Bouygues donne un peu dans la démesure, mais je l'aime bien. Heureusement qu'il y a des gens pour vivre leur folie. - YAB
Francis Bouygues avait fait le pari que l'un des plus grands groupes mondiaux pouvait se diriger en pleine nature. Ceux qui y travaillent semblent heureux de se retrouver dans la verdure. C'est quand même mieux que d'être empilé dans des tours. - PPDA

Page de droite

● Le dôme rutilant des Invalides, à Paris.
L'hôtel des Invalides, dans le VIIe arrondissement de Paris, forme le plus grand ensemble architectural de la ville de Paris. Il fut fondé en 1670 par Louis XIV pour « recevoir et loger tous les officiers et soldats, tant estropiés que vieux » de ses troupes, soit quatre mille hommes. Cette résidence désaffectée abrite aujourd'hui le musée des Armées. L'église royale Saint-Louis-des-Invalides a été construite par Jules Hardouin-Mansart et coiffée de son célèbre dôme en 1690. Il culmine à 107 mètres du sol. À l'occasion du bicentenaire de la Révolution française, en 1989, le dôme a été redoré pour la cinquième fois de son histoire : l'opération a nécessité 550 000 feuilles d'or, soit plus de 10 kilos de métal précieux.

Dès que j'ai commencé à photographier au-dessus de Paris, j'ai été attiré par certains lieux que je fais et refais inlassablement. C'est le cas du dôme des Invalides, qui brille comme une pièce d'or au milieu de la ville. - YAB
Toutes ses couches d'or fin agissent comme un aimant qui capte sa beauté, avec en dessous, le fantôme de Napoléon. - PPDA

Ci-contre

• Les plaines agricoles de la Beauce.
La région naturelle des plaines de la Beauce s'étend sur cinq départements (Loiret, Essonne, Yvelines, Eure-et-Loir, Loir-et-Cher) et couvre 7500 kilomètres carrés. La Beauce, longtemps considérée comme le « grenier à blé » de la France, diversifie pourtant ses activités. Si elle continue à produire du blé tendre pour la farine et du blé dur pour les pâtes, elle renonce progressivement au maïs, trop exigeant en eau, et au tournesol, mal adapté au climat. En revanche, elle produit de plus en plus de légumes : haricots verts, petits pois ou épinards pour l'industrie agroalimentaire (conserves et surgelés) et même des pommes de terre dites « beauceronnes » réservées aux frites McCain. Dans cette région, un actif sur dix cultive la terre.

Je me souviens des ballots de foin qu'on montait à la fourche chez mon grand-père. Ils étaient lourds, mais on pouvait quand même les porter. Aujourd'hui tout est mécanisé, et quand je survole les campagnes, je ne vois plus personne. Il reste seulement un million d'agriculteurs en France, soit moins de 4 % de la population active. - YAB

Comme beaucoup, j'ai fait les foins, petit. J'aimais le geste du faucheur, et celui de la fourche qui lève au ciel le blé coupé. - PPDA

Ci-contre

● **L'art en pleine nature.** Le sculpteur américain Richard Serra est l'un des plus audacieux du XXe siècle. Cet artiste minimaliste, né en 1939 à San Francisco, a renoncé à l'usage traditionnel du socle pour inscrire ses œuvres de plain-pied dans la nature. Il recourt à des matériaux inhabituels, comme le caoutchouc ou le plomb fondu. Ici, cette gigantesque sculpture de métal, installée dans le parc d'une résidence privée des Yvelines, entend susciter un dialogue particulier avec son environnement.

Ci-contre

•Le parc de Sautour, aux Mureaux.
Autrefois entourée de vignobles, la commune des Mureaux, située au carrefour du Vexin et de la Normandie dans les Yvelines, a connu des mutations rapides en raison même de sa situation géographique. Elle s'industrialisa avec la construction du chemin de fer Paris-Rouen en 1843 et devint, à partir de 1950, la cité-dortoir des ouvriers travaillant à Flins, dans les usines Renault. Malgré ses grands ensembles aujourd'hui réhabilités, la commune (32 000 hectares) consacre la moitié de son territoire aux espaces verts. Avec sa colline artificielle et son lac, le parc de Sautour est ainsi ouvert en permanence aux promeneurs et aux cyclistes.

Page de droite

•Le Pilat, la plus haute dune d'Europe.
À l'entrée du bassin d'Arcachon (Gironde), la dune du Pilat dresse ses 60 millions de mètres cubes de sable jusqu'à 105 mètres de hauteur. Longue de 2 700 mètres et large de 500 mètres, elle constitue la plus importante formation sableuse d'Europe. Son alimentation se poursuit grâce aux sables du banc d'Arguin voisin, transportés par les vents, les marées et de puissants courants. Victime de sa notoriété, avec plus d'un million de visiteurs par an, la dune du Pilat a été classée « Grand Site national » afin de préserver son identité et son environnement. Elle a fait l'objet d'une opération de réhabilitation en 1994.

Double page suivante

•Le palais de l'Élysée, à Paris.
Le palais de l'Élysée a été l'un des premiers hôtels particuliers érigés au XVIIIe siècle dans les campagnes du faubourg Saint-Honoré, alors aux portes de Paris. L'architecte Armand-Claude Mollet et son successeur Alexandre Hardouin ont construit l'hôtel d'Évreux entre cour et jardin, dans le goût de l'époque, classique, mais avec une grande profusion ornementale. Rebaptisé et inscrit comme « Bien national » au début du XIXe siècle, l'Élysée sert de résidence à la République depuis 1873. Le téléphone y a été installé peu après et le palais a connu de nombreux aménagements selon les goûts et les humeurs de ses hôtes.

À titre personnel et sentimental, j'aime bien cette perspective. On a peine à imaginer que c'est le cœur absolu du pouvoir en France, avec ses deux petits ventricules sur le côté. Tout le pouvoir y est concentré dans de miniscules bureaux. Des conseillers importants sont logés dans des mansardes sous les toits, et tout le monde se bat tous les cinq ans pour conquérir ces quelques mètres carrés ! L'appartement dit « de permanence » se trouve dans l'angle qui donne sur la place Beauvau face au ministère de l'Intérieur. Tout un symbole ! Chaque nuit, un conseiller différent veille là pour pouvoir à tout moment réveiller le président ou prendre une décision d'importance. - PPDA

Ci-dessous

• Au bord de l'eau, dans une ancienne sablière. Ce cabanon flotte sur une « friche industrielle », un plan d'eau de 1 hectare laissé à l'abandon après la fermeture du Groupe des sablières modernes (GSM) qui exploitait des agrégats à Carrières-sous-Poissy, dans les Yvelines. Les terrains étant inconstructibles car situés en zone inondable, une association privée a obtenu l'autorisation d'y installer une trentaine de chalets pour la pêche et les loisirs de week-end. Ces installations pourraient éventuellement un jour s'intégrer dans l'aménagement, actuellement à l'étude, des berges de la Seine toute proche.

Page de droite

• Les Dents de scie, une cité ouvrière à Trappes. La cité ouvrière des Dents de scie, construite en 1931 à Trappes (Yvelines), a failli disparaître avant d'être inscrite à l'Inventaire supplémentaire des monuments historiques. Ces pavillons à loyer modéré, autrefois réservés aux employés du chemin de fer travaillant pour la grande gare de triage de la ville, ont été réhabilités en 1992 par l'architecte Antoine Grumbach. Ils ont conservé leur simplicité d'origine, avec leurs toits en terrasse et leurs jardinets, tout en devenant beaucoup plus fonctionnels. Certains locataires habitent ici depuis la naissance de la cité, devenue un patrimoine vivant.

Ci-contre

• Les derniers burons dans les pâturages de l'Aubrac.
Les monts basaltiques de l'Aubrac, en Aveyron, fournissent d'abondants pâturages entre 1100 mètres et 1400 mètres d'altitude. Au XVIIIe siècle, les cantalès, gardiens d'immenses troupeaux de vaches aux yeux noirs, y construisaient des burons, des cabanes de pierres couvertes de lauzes, qui leur servaient à la fois d'abris durant la transhumance (du 15 mai au 13 octobre) et de fromageries. On en recensait trois cents sur le causse en 1883 et au début du XXe siècle, douze mille saisonniers y fabriquaient 700 tonnes de tomme de laguiole par an. Dans les années 1950, il n'y avait plus que cinquante-cinq burons en activité et, aujourd'hui, il n'en reste que deux.

J'ai marché par ici. En partant d'Aumont-Aubrac pour aller jusqu'à Conques. J'étais avec un ami né dans la région, mais qui n'avait jamais marché sur les chemins de Compostelle. Il était ébahi ; il découvrait un autre pays... - PPDA

Sur ces plateaux balayés par le vent, il n'y a pas d'arbres et seules les vaches viennent y paître en été. Ce buron rappelle qu'autrefois on faisait ici des fromages. - YAB

Page de gauche

●Vacances en Vendée. Son climat maritime tempéré et sa douceur de vivre font de la Vendée la troisième destination touristique de France, derrière le Var et l'Hérault. Le département accueille près de cinq millions de visiteurs par an, dont environ 15 % d'étrangers : Anglais, Allemands, Belges… Soit au total trente-six millions de nuitées, à l'hôtel, dans des gîtes ruraux, mais aussi pour beaucoup en camping-caravaning. Cette hôtellerie de plein air, familiale et toujours très populaire, est en pleine mutation, mieux intégrée aux paysages et proposant des séjours « tout confort ».

Ci-dessous

●Un troupeau de moutons en baie de Somme. L'immense baie de Somme (7000 hectares avec les estuaires de la Somme et de la Maye) est hérissée d'une végétation spécifique. Des plantes halophytes, qui aiment l'eau de mer, comme la salicorne, l'aster maritime ou la puccinelle (une graminée), y poussent entre sables et marais formant le « schorre », plus ou moins recouvert par les grandes marées. Un troupeau de 3 500 moutons y broute en liberté, au rythme de la transhumance. Le nombre des bêtes est strictement contrôlé pour limiter les pollutions. En revanche, les moutons qui passent de cent à trois cents jours sur le schorre se voient décerner un label rouge attestant de la qualité de leur viande.

Double page suivante

●La centrale éolienne d'Avignonet-Lauragais. La centrale éolienne d'Avignonet-Lauragais (Haute-Garonne) est entrée en service en novembre 2002, dans le cadre du programme Éole. Placées en double ligne sur une crête, au lieu-dit « Brésil », dans une zone agricole au nord de la commune, ces dix éoliennes de 50 mètres de diamètre profitent des vents dominants pour produire chacune 800 kilowatts d'électricité. L'énergie du vent est une énergie propre, sans déchet, et quatorze régions françaises sont à présent dotées d'éoliennes. Avec une puissance globale de 390 mégawatts en 2004, la France se situe au seizième rang seulement des pays producteurs de ce type d'énergie, loin derrière l'Allemagne (16628 MW), l'Espagne (8263 MW) et les États-Unis (6725 MW).

Si les éoliennes ont un certain charme, elles sont surtout indispensables pour produire des énergies nouvelles non polluantes. La construction d'éoliennes en France reste très en deçà des possibilités offertes par ses côtes et ses reliefs qui lui permettraient d'être deuxième dans ce domaine alors qu'elle est très en retard par rapport aux constructions européennes. - YAB

Pour ma part, je les préfère en mer. Elles y sont mieux intégrées au paysage et ressemblent à des phares modernes. - PPDA

Page de gauche

• Le charme méridional de Pélissanne. Replié sur lui-même au bord de la rivière Touloubre, Pélissanne (8800 habitants, dans les Bouches-du-Rhône) se découvre à pied. De son passé économique glorieux, au carrefour des pays d'Aix et de Salon, et sur la route des Alpilles, ce bourg conserve de belles façades du XVIIe siècle. On y apprécie l'ombre des platanes et la fraîcheur des fontaines publiques qui contribuent à son caractère méridional.

On devine que, de tout temps, la population est venue se réchauffer en son sein, au cœur de son être, et c'est très chaleureux de l'imaginer. - PPDA

En France, la diversité des toits est fascinante. Ce sont des repères, ils indiquent en vol la région où l'on se trouve, avec l'ardoise au nord de la Loire et la tuile dans le Midi... Je crois qu'il existe une trentaine de façons différentes de construire des toits. - YAB

Ci-contre

• La campagne à Paris. L'est de la capitale, autrefois rural, s'est développé et industrialisé tout au long du XIXe siècle, entraînant la construction de logements ouvriers de type pavillonnaire, notamment dans les actuels XIXe et XXe arrondissements. Aujourd'hui réhabilitées, ces maisons individuelles souvent dotées d'un jardinet sont devenues des havres de paix au cœur de la ville. On estime qu'il existe environ dix mille maisons ainsi préservées dans Paris. Ces hameaux, où l'on trouve de nombreux ateliers d'artistes, sont aujourd'hui très recherchés.

Double page suivante

• Paris au fil de la Seine. Blottie entre les bras de la Seine, l'île de la Cité témoigne des origines de la ville, l'ancienne Lutèce, capitale gauloise des *Parisii* conquise par les Romains en 52 avant notre ère. Les rois francs y établirent domicile à partir du règne de Clovis, au VIe siècle. La construction du premier palais du Louvre, résidence royale sur la rive droite, fut commencée par Philippe Auguste, roi capétien dont le règne (1180-1223) renforça le pouvoir monarchique. Le Louvre subit ensuite d'incessantes modifications, des agrandissements et des embellissements, jusqu'au Second Empire. Il est devenu musée en 1793 et la cour d'honneur abrite depuis 1989 la Grande Pyramide de l'architecte Pei.

Paris, c'est l'addition de toutes les civilisations et de tous les siècles qui s'y sont succédé. Ça commence par l'île de la Cité, derrière l'île Saint-Louis... Tout est harmonieux, peut-être grâce aux boucles de la Seine. Et puis il y a le Louvre, cette ancienne résidence royale devenue musée... On a réussi à en chasser le ministère des Finances, dont ce n'était pas la place, et à construire cette pyramide pour y entrer. C'est un diamant, un diamant qui attire. - PPDA

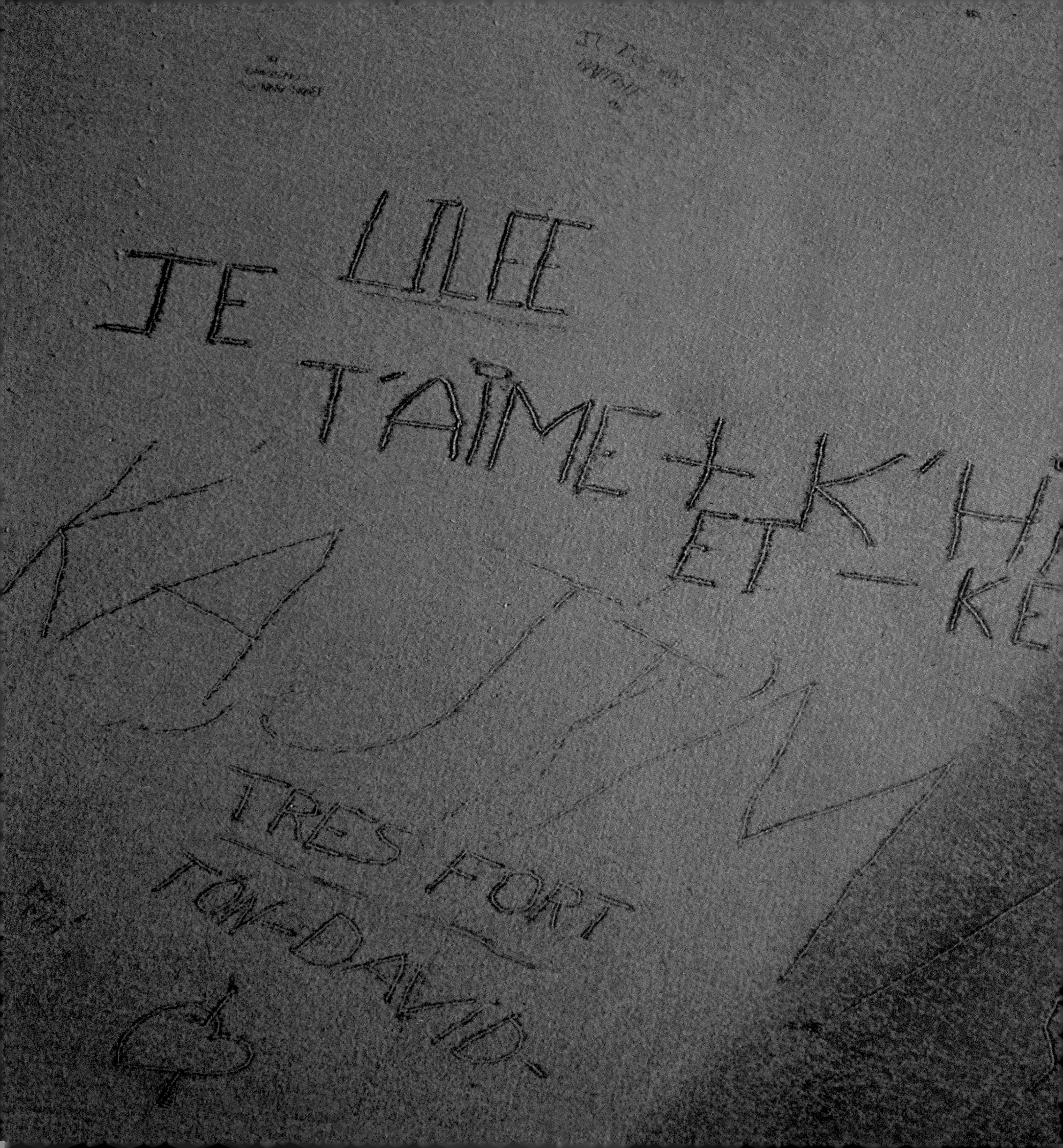
LILEE
JE T'AIME + K'H
ET — KE
TRES FORT
TON-DAVID-

Page de gauche

• Le langage SMS à la conquête des plages. Écrit sur le sable en lettres de 3 mètres de hauteur sur une plage proche du Mont-Saint-Michel (Manche), ce message amoureux utilise la nouvelle orthographe adoptée pour correspondre par SMS. Témoin des évolutions contemporaines, il sera effacé par la mer à la prochaine marée.

On ne se rend pas compte, mais les lettres font environ trois mètres de hauteur ! C'est le langage d'aujourd'hui, celui du SMS, et j'aime aussi l'idée que la marée va les recouvrir en très peu de temps, comme dans la chanson d'Yves Montand, « Les Feuilles mortes ». - PPDA

Ci-dessus

• Une maison « coup de cœur », à Fréhel-Sables-d'Or-les-Pins. Cette maison originale, dont le toit incliné se découpe en forme de cœur comme dans un jeu de cartes, a été conçue en 1974 à Fréhel-Sables-d'Or-les-Pins (Côtes-d'Armor) par l'architecte Martine Abraham qui en a fait sa résidence. Elle est construite en béton armé ensuite recouvert de bois, avec un balcon circulaire à l'étage. De grandes baies vitrées ouvrent de tous côtés vers l'extérieur, avec une vue imprenable sur la mer proche. L'épaisseur des vitres, de 8 millimètres, en fait une maison solaire passive, anticipant sur l'actuel engouement pour l'habitat écologique.

Ci-contre

• La Bretagne, terre agricole.
Pour se hisser au premier rang des régions agricoles françaises, la Bretagne a développé, depuis les années 1960, une agriculture intensive, employant aujourd'hui environ 10 % de la population active. Après l'élevage, les cultures légumières y occupent une place prépondérante, notamment sur la façade maritime nord, autour de Saint-Pol-de-Léon (Finistère) et de Paimpol (Côtes-d'Armor), où l'on voit ici planter des choux-fleurs, qui sont parmi les produits phares de la région. S'y ajoutent quantité de primeurs : pommes de terre, haricots « coco », tomates, etc., ainsi que les fameux artichauts bretons (75 % de la production nationale). Gourmandes en eau, ces cultures concentrent 26 % des surfaces irriguées en Bretagne.

Page de droite

• Bouchots dans la baie de Saint-Brieuc.
Une partie des 800 kilomètres carrés de la baie de Saint-Brieuc (Côtes-d'Armor) est plantée de pieux, appelés « bouchots », pour la culture des moules.
Les mollusques y sont fixés en grappe pour quinze ou vingt-quatre mois, le temps qu'ils se nourrissent de plancton filtré au rythme des marées. La baie de Saint-Brieuc, parmi les sept bassins de production de la Bretagne Nord, fournit 6 000 à 7 000 tonnes de moules par an derrière celle du Mont-Saint-Michel (10 000 tonnes).
La conchyliculture, qui concerne l'ensemble des élevages d'huîtres, de moules ou de coquillages, est une activité marine fragile. Elle dépend de la qualité des eaux du littoral, mais aussi de leur température. La canicule de l'été 2003 a ainsi favorisé le développement des micro-algues toxiques.

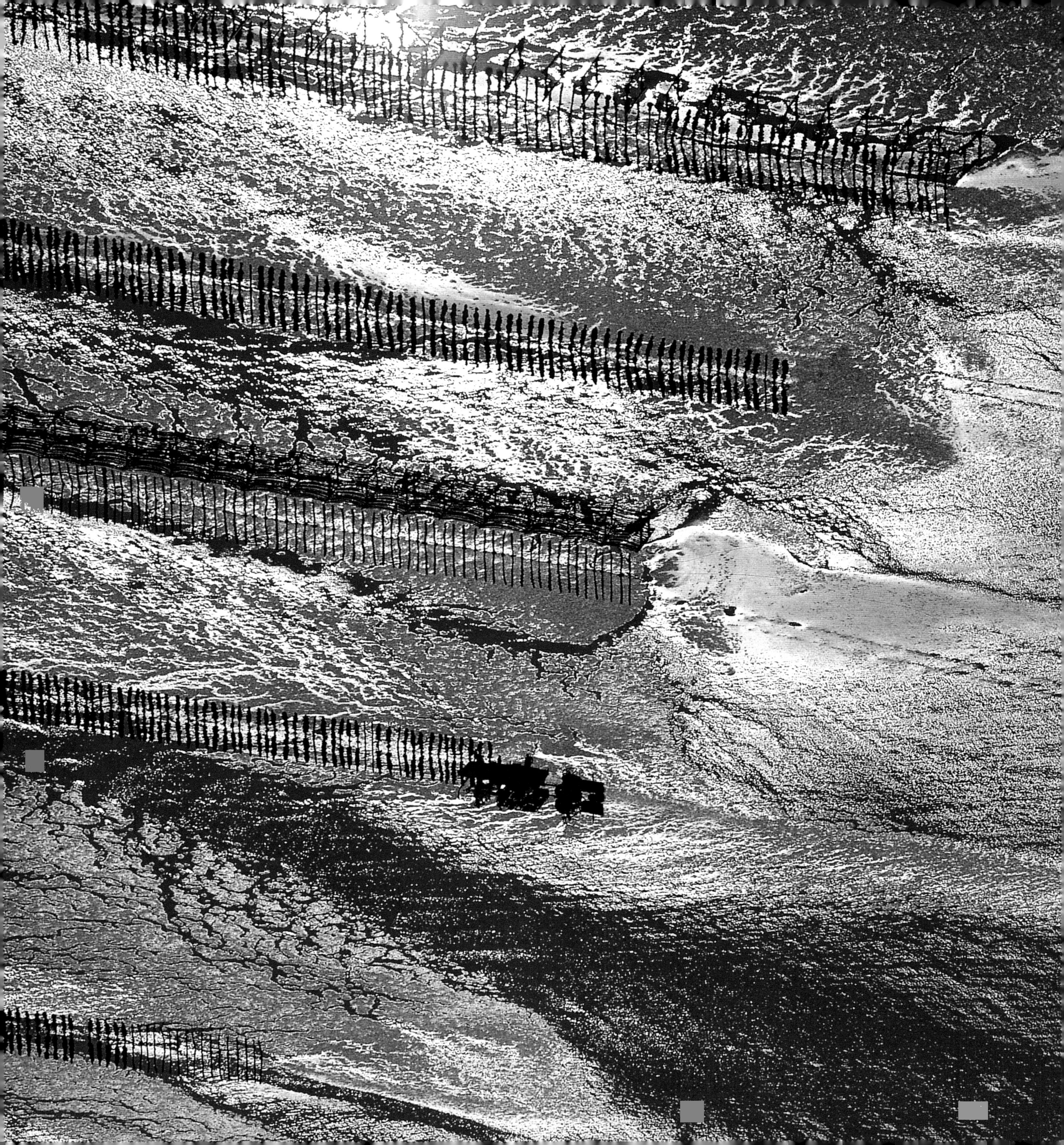

Page de gauche

● **De vieux moulins à marée.**
Une centaine de moulins à marée ont fonctionné durant des siècles en Bretagne (ici, dans les Côtes-d'Armor). Ils étaient installés sur un plan d'eau protégé, souvent dans les estuaires proches de la mer. L'eau, qui s'accumulait avec le flux, actionnait les roues des meules en se retirant avec le jusant. Les meuniers travaillaient ainsi au rythme des marées, de jour comme de nuit. Les grains à moudre étaient livrés par de petits voiliers qui embarquaient aussi les sacs de farine. Certains de ces moulins sont restés en activité jusque dans les années 1960. À présent, ils sont souvent transformés en résidences secondaires.

Ci-contre

● **Les calanques de Cassis.**
Les calanques de Cassis, à proximité de Marseille (Bouches-du-Rhône), sont formées par d'anciennes vallées fluviales envahies par la mer. Leurs pierres calcaires ont été exploitées pendant longtemps, notamment au XIXe siècle, pour construire, entre autres, les quais du port d'Alexandrie, en Égypte, et le socle de la statue de la Liberté, à New York. Aujourd'hui rendues à la nature et plantées de pins d'Alep, les calanques attirent chaque année 1 million de visiteurs sur 160 kilomètres de sentiers balisés.

Pages 186-187

• Ramatuelle.
Construit à flanc de colline, le village de Ramatuelle (Var) enserré dans ses remparts, avec ses ruelles escarpées et ses toits de tuiles roses, s'impose comme l'un des plus pittoresques de la presqu'île de Saint-Tropez. Le comédien Gérard Philipe y possédait une propriété de famille, La Rouillère, un mas entouré de 29 hectares de vignes et de pins parasols. L'acteur vedette du *Cid* et de *Till l'Espiègle*, décédé à Paris à l'âge de trente-six ans, a été enterré à Ramatuelle le 28 novembre 1959. Depuis, sa tombe constitue un lieu de pèlerinage.

Pour moi, Ramatuelle, c'est d'abord Gérard Philipe. Je suis souvent allé sur sa tombe. Le village est resté très authentique, dans un environnement qui l'est de moins en moins, quasi siliconé... - PPDA

Page de droite

• Le plan « Loire Grandeur Nature ».
La Loire échappe à la pollution qui la menaçait au début des années 1990. Délaissé par la batellerie à la fin du XIXe siècle et dégradé par l'extraction des granulats au cours du XXe siècle, le dernier fleuve sauvage d'Europe avait vu ses eaux mal entretenues envahies par la végétation, voire étouffées par les algues (ici près de Digoin, en Saône-et-Loire). La mise en place en 1994 du plan décennal « Loire Grandeur Nature », initié par le ministère de l'Environnement, a permis d'inverser la tendance en aménageant, puis en entretenant, le lit du fleuve et ses bras morts. Grâce à ce programme de développement économique mais aussi écologique, doté d'un budget de 2 milliards de francs par an (au total, 330 millions d'euros sur dix ans), les saumons ont retrouvé le chemin des frayères.

Un tableau sublime. On n'est pas très loin des Nymphéas. - PPDA
Je ne suis jamais lassé de photographier la nature. Plus je vole et plus je ressens sa beauté. - YAB

Page 188

• Limoux, patrie de la blanquette.
À vingt-cinq kilomètres de Carcassonne, dans l'Aude, la ville de Limoux accueille chaque année dans ses rues étroites l'un des plus vieux carnavals de France, dont la tradition remonterait au XVIe siècle. Pierrots et godils masqués font ici la sarabande alors que coule à flots la blanquette, un vin blanc pétillant produit dans les communes alentour.

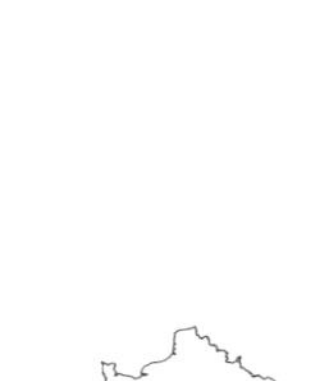

Page 189

• Le château Saint-Léger, à Saint-Germain-en-Laye.
Le château Saint-Léger, construit dans un parc à la fin du XIXe siècle à Saint-Germain-en-Laye (Yvelines), a longtemps abrité l'Institut de recherche de la sidérurgie (IRSID), installé dans les lieux en 1946. Parmi les travaux entrepris pour moderniser le pavillon dans les années 1980, l'architecte Dominique Perrault a aménagé une immense salle de conférences (300 places), entièrement installée sous le bâtiment. D'où cette impression de voir un manoir cerné par des douves remplies d'eau, qui ne sont en réalité que des panneaux de verre réfléchissant la lumière ! Après la délocalisation de l'IRSID en Lorraine, la propriété a été rachetée par Ford France, dont elle est devenue le siège social.

Double page suivante

• Les phoques de la baie de Somme.
Deux espèces de phoques, parmi les vingt recensées dans le monde, vivent en baie de Somme. Outre le phoque gris peu représenté, cette échancrure de 7000 hectares sur la côte picarde abrite la plus importante colonie française de phoques veaux marins, avec une centaine d'individus. Adaptés à la vie dans les estuaires, ils se dispersent à marée haute pour pêcher trois ou quatre kilos de poissons par jour, et se regroupent sur les bancs de sable à marée basse. L'allaitement des petits, qui naissent en juin et juillet, se fait uniquement sur le sable. Longtemps chassés pour leur fourrure et menacés de disparition jusqu'aux années 1980, les veaux marins prospèrent à présent. Ils n'en sont pas moins vulnérables aux pollutions et les observer suppose une grande discrétion.

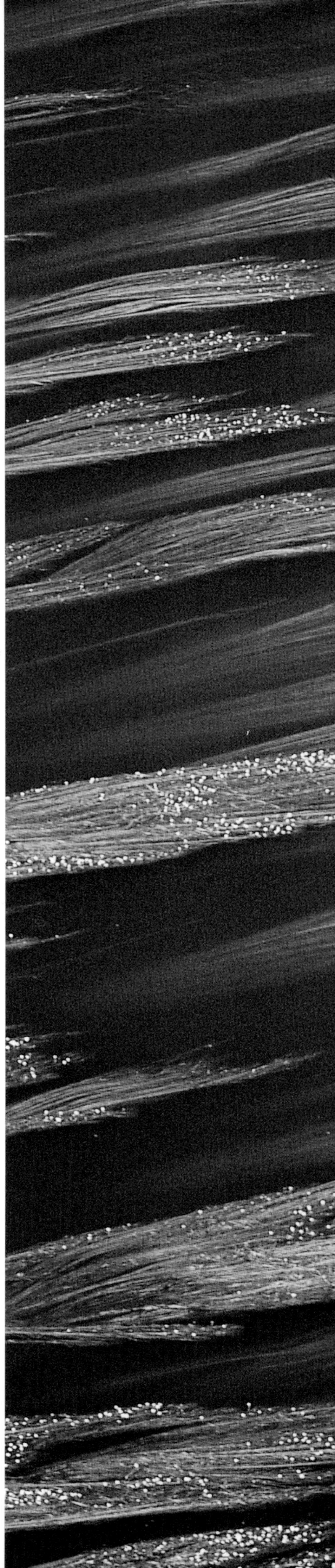

Pages 194-195

• **La maison des dunes vaincue par la mer.** Cette maison solitaire au lieu dit Ker Emma, à Plounévez-Lochrist (Finistère), n'existe plus. Elle a été vaincue par la mer, emportée par le recul de la dune et démolie en 2000. Il s'agissait à l'origine d'une simple cabane de goémonier, sans eau ni électricité, rachetée après la Seconde Guerre mondiale par un amoureux du site qui lui donna en breton le nom de sa femme, Ker Emma : Chez Emma... Comme elle, d'autres propriétés sont menacées en Bretagne Nord par la désagrégation du cordon dunaire qui peut reculer par endroits de douze mètres par an sous la poussée des flots.

La maison a disparu... Le sable est venu jusqu'au bord. Quand ils l'ont abattue, l'eau était au pied du mur. - YAB
Là encore, la nature a eu le dernier mot : elle n'aime pas que l'on vienne la défier. - PPDA

Pages 196-197

• **L'île Molène, réserve de la biosphère.** Ancrés dans les courants de la mer d'Iroise, à la pointe du Finistère, l'île Molène et son archipel sont classés depuis 1988 « Réserve de la biosphère » par l'Unesco. Les rochers hébergent une colonie de phoques gris placée sous la surveillance de l'institut scientifique Océanopolis de Brest, et jusqu'à cent trente-deux espèces de poissons et de crustacés prospèrent dans ses eaux. Pour les 264 habitants de Molène (0,95 km^2) la vie s'écoule au rythme du « courrier » de la *Penn ar Bed* qui relie l'île au continent plusieurs fois par jour, en une heure de traversée.

Molène rend heureux. Peut-être parce que cette île, la plus occidentale de France avec celle d'Ouessant, est restée à l'heure du soleil... Là-bas, dans l'unique restaurant, la patronne vous donne rendez-vous pour déjeuner à onze heures ! Ou bien elle vous invite à prendre l'apéritif vers dix-sept heures ! Tout est décalé de deux heures par rapport au continent ! - PPDA

Ci-contre

• **Le port de Saint-Tropez.** Sorti de l'anonymat dans les années 1950, le port de Saint-Tropez (Var) a pris aujourd'hui une dimension internationale. Ses deux bassins couvrent une superficie de 9 hectares et peuvent accueillir 800 navires, yachts et voiliers de grande taille : jusqu'à 70 mètres de long pour un tirant d'eau de 4,50 mètres. La capitainerie revendique son statut de « véritable hôtel de la mer », avec des services innovants : accès à Internet, groom et consigne à bagages. Sept mille bateaux de toutes nationalités y font escale dans l'année. Cela représente environ vingt-deux mille nuitées.

Saint-Tropez est également un beau village authentique, chanté par les plus grands écrivains. Mais il faut dire la vérité : ce port, l'été, c'est une boursouflure humaine, la foire aux vanités... Que font ces gros navires face aux terrasses des cafés ? Qui regarde qui ? À quoi sert ce jeu de faux miroirs ? C'était autrefois un très joli port de pêche, avec de petits bateaux à voile et du bleu partout... Les « pointus » devraient un jour pouvoir reprendre leur place pour laisser les plus gros aller prendre un peu la mer. Mais sont-ils faits pour ça ? - PPDA

Vachon
CHANGE

KEREON

Page 200

• Un remorqueur de la marine nationale.
Construit en 1992, le *Kéréon* (du nom d'un phare de l'île d'Ouessant voisine) est l'un des sept remorqueurs de la marine nationale en service à Brest (Finistère). Long de 25 mètres, large de 8,40 mètres, et avec un tirant d'eau de 3,40 mètres, il aide les bâtiments militaires à manœuvrer dans la rade de Brest pour entrer ou sortir du port. Il lui arrive aussi de croiser au large, ici près de l'île de Sein. La protection des navires civils qui empruntent le rail d'Ouessant, particulièrement fréquenté et dangereux, est assurée, quant à elle, par deux Abeilles, des remorqueurs de haute mer également stationnés à Brest. Malgré ces efforts, la pointe du Finistère, redoutable pour ses vents et ses courants, connaît encore des naufrages comme celui de l'*Erika*, chargé de 37 000 tonnes de fioul, en décembre 1999.

Page 201

• Le pont-canal de Briare.
Le pont-canal de Briare, dans la Nièvre, enjambe la Loire pour permettre aux chalands naviguant sur les canaux de traverser le fleuve parfois tumultueux. Inauguré en 1896, cet ouvrage métallique, d'une portée de 662 mètres, était à l'époque le plus ambitieux jamais construit en France. La société Eiffel, connue pour avoir érigé la tour du même nom à Paris, en a assuré les soubassements. Vers 1900, près de dix mille bateaux l'empruntaient chaque année, soit environ vingt-cinq par jour. Aujourd'hui, le transport fluvial a fait place à la plaisance, au grand dam des écologistes pour lesquels un convoi de péniches remplacerait 70 camions sur les routes.

J'aime tout particulièrement ce contraste entre la Loire, qui peut-être sauvage, et le canal paisible qui passe au-dessus. Un bateau qui navigue sur un pont, c'est toujours surprenant ! - YAB
Chaque fois que j'ai navigué sur une péniche, j'ai eu l'impression d'avancer à vitesse humaine. Et les bateliers sont des gens très attachants. - PPDA

Ci-contre

• Les traces du feu en Provence.
Chaque année, la sécheresse et le mistral aidant, le Midi de la France voit ses forêts ravagées par de dramatiques incendies, détruisant parfois des habitations et mettant en péril des vies humaines. L'année 2003, marquée par la canicule, a été particulièrement éprouvante. Quelque 61 545 hectares de bois et de maquis sont partis en fumée dans le Midi méditerranéen (ici à proximité de Valensol, dans les Alpes-de-Haute-Provence), dont un tiers dans le Var. D'après les statistiques, 55 % des départs de feu sont dus à l'imprudence, 20 % à la malveillance, 5 % à la foudre, 5 % aux décharges, 6 % aux trains et lignes électriques et 9 % à des causes diverses. La meilleure prévention reste encore le nettoyage systématique des sous-bois, autrefois assuré par les troupeaux.

Ci-contre

• **L'aire de production du cognac.**
La zone géographique de production du cognac, en Charente, a été délimitée par décret en 1909, alors que les vignes sont apparues dans la région dès le IIIe siècle. L'aire de production se décline en six crus différents, de la Grande Champagne aux Fins Bois, cultivés sur des surfaces variant de 13000 hectares à 1100 hectares, réparties de façon concentrique autour de la ville de Cognac (16000 habitants). L'eau-de-vie, obtenue par distillation de différents vins blancs, vieillit au minimum trente mois dans des fûts de chêne neufs. En 2004, les exportations de cognac, très apprécié notamment au Japon, ont représenté 16 % du total des exportations françaises de vins et spiritueux.

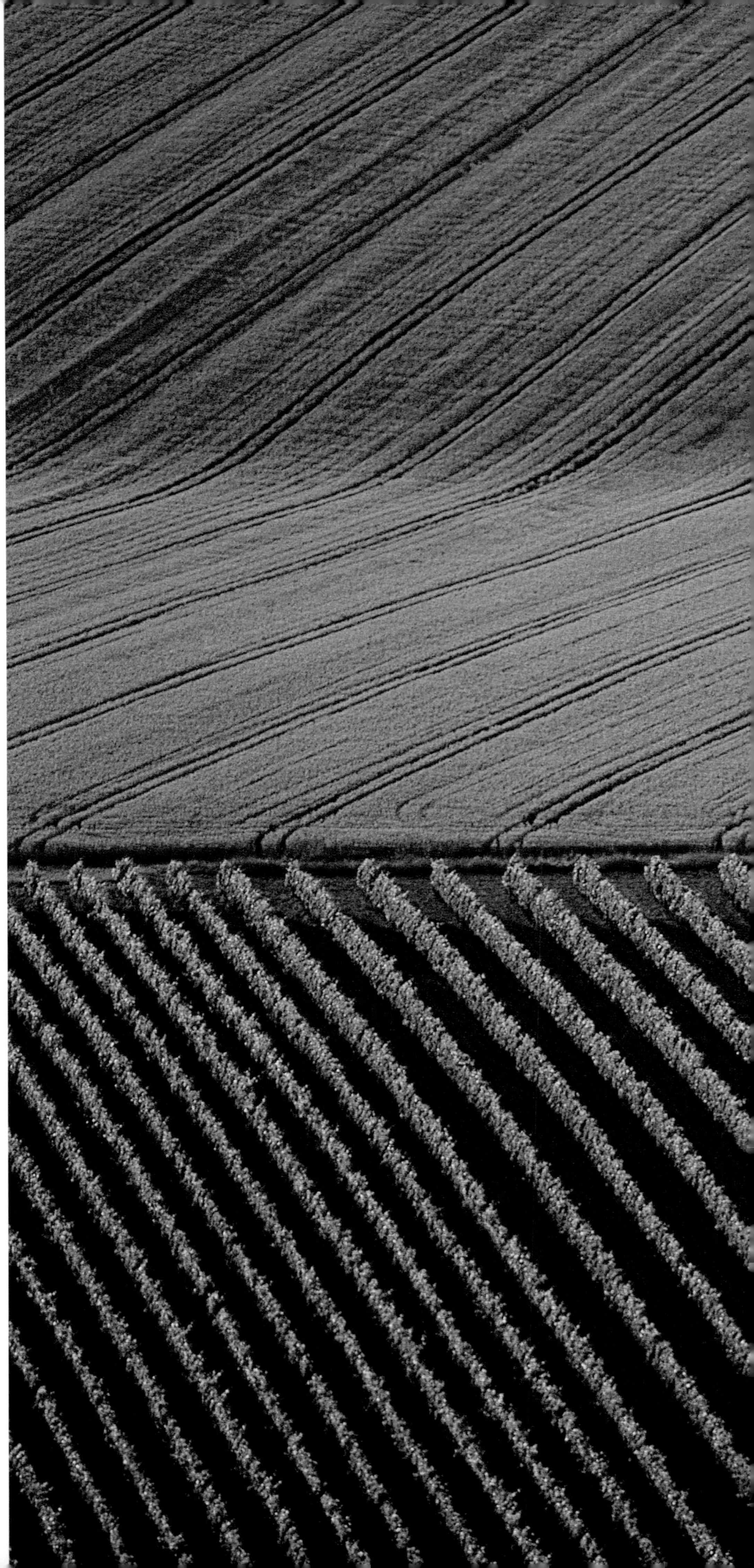

Ci-contre

• À la mode d'autrefois. L'invention des machines à laver et à sécher le linge n'interdit pas d'étendre encore sa lessive au soleil (ici, en Bretagne). Ce mode de séchage, économe en énergie, donne au linge un éclat incomparable.

Ce genre de photo, c'est un cadeau, un don du hasard. - YAB
Un linge qui claque au vent comme un souvenir d'enfance. - PPDA

Ci-dessous

• Le château de Jarnioux, dans le Rhône. Classé monument historique avec ses six tours couronnées de tuiles vernissées, le château de Jarnioux (Rhône) a été épargné par toutes les guerres depuis sa construction en style Renaissance au XVe siècle. Il possède un pont-levis et l'une de ses cours intérieures forme terrasse au-dessus du bourg construit en pierres calcaires d'une belle couleur ocre clair. Autrefois chaque village possédait ici sa propre carrière, justifiant le surnom de « Beaujolais des pierres dorées » parfois donné à cette partie sud du vignoble.

Page de droite

• Vendanges dans le Beaujolais. Les vignobles du Beaujolais se déploient sur 22 000 hectares, dans le nord du département du Rhône, et toute la production bénéficie d'une appellation d'origine contrôlée. Cette région produit quelques crus célèbres, comme le brouilly (73 000 hectolitres par an sur 1 300 hectares de vignobles), le chiroubles (20 000 hectolitres sur 370 hectares), le juliénas (34 000 hectolitres sur 600 hectares) ou encore le moulin-à-vent (3 400 hectolitres sur 650 hectares). Les vendanges, ici près de Corcelles-en-Beaujolais (Rhône), mobilisent à l'automne environ quarante mille personnes dont une partie croissante vient des anciens pays de l'Est, la Pologne en tête. L'arrivée du beaujolais nouveau, le troisième jeudi de novembre, est célébrée dans le monde entier.

Double page suivante

• Près de Montmélian, capitale des vins de Savoie. Contrairement aux idées reçues et à l'exclusion des zones de haute montagne, la Savoie bénéficie d'un climat relativement tempéré, avec un ensoleillement de 1600 heures par an favorable à la culture de la vigne. Ce sont les Allobroges, un peuple gaulois, qui les premiers ont développé le vignoble (ici, autour de Montmélian), imposant également l'usage des tonneaux pour conserver le vin que les Romains stockaient dans des amphores. Les vins de Savoie, qui ont obtenu une appellation d'origine contrôlée en 1973, sont aujourd'hui en plein essor et les terrains en friche sont partout replantés. Les vignobles couvrent à présent 1 300 hectares pour une production de 130 000 hectolitres par an, dont 80 % de vins blancs, le crépy ou la roussette.

Page de gauche

• Le vieux village de Gruissan.
Enroulé en « circulade » autour des ruines du château médiéval de Gruissan et de la tour Barberousse édifiée au XIIIe siècle pour défendre le port de Narbonne, ce village de l'Aude voit sa population passer de 3100 habitants à 60000 en été ! Son emplacement est en effet exceptionnel, à proximité des grandes plages du Languedoc-Roussillon.

Ci-dessous

• La campagne traditionnelle.
L'élevage et le travail de la terre ont pendant longtemps constitué l'essentiel des ressources du monde rural en Alsace. Toutes les fermes possédaient une basse-cour et quelques moutons, comme ici près de Colmar. Un écomusée, ouvert autour de soixante-dix maisons traditionnelles à Ungersheim, dans le Haut-Rhin, perpétue cette vie des campagnes en voie de disparition. Comme autrefois, on y récolte le chanvre et le chou à choucroute, on y tond les moutons, on y sèche le tabac…

Ci-dessous

• L'ancienne cité médiévale de Martres-Tolosane.
Avec ses remparts et ses douves remplacés par une couronne de platanes, l'ancienne cité médiévale de Martres-Tolosane (Haute-Garonne) compte 1700 habitants. Célèbre dès le XVIIIe siècle pour ses faïenceries, dont neuf toujours en activité, la ville s'est développée autour de son donjon et de l'église Saint-Vidian, de style gothique méridional. La commune, comme beaucoup d'autres dans la région, attire de nombreux Anglais, disposés à racheter et à restaurer de vieilles maisons. La Haute-Garonne en accueillerait 1800, contre 2400 en Dordogne et 700 dans le Gers. Selon l'Insee, le nombre des Britanniques installés en France a doublé depuis 1999. Mais la flambée des prix de l'immobilier les incite maintenant à regarder plus au nord, vers le Limousin.

Page de droite

• Sur la Côte d'Azur, des résidences à l'américaine.
Ces villas de style néoprovençal, ouvrant de plain-pied sur jardin, parking et piscine, sont construites dans les hauteurs de Grimaud-Beauvallon (Var), avec une vue imprenable sur le golfe de Saint-Tropez. Depuis plusieurs années, l'immobilier, délaissant les anciens villages de pêcheurs bétonnés et surpeuplés, s'est emparé des derniers terrains à bâtir sur les contreforts des Maures. De nouveaux lotissements résidentiels s'y développent, introduisant sur la Côte d'Azur une conception très américanisée de l'urbanisme.

Le marché français des piscines est en pleine expansion, notamment celui des piscines gonflables. Elles sont uniformément bleues, alors que si elles étaient grises ou vertes elles seraient plus en harmonie avec le paysage. - YAB
Les piscines sont devenues un appendice du rêve français : posséder un « chez-soi » convivial. - PPDA

Pages 216-217

• Le château de Versailles, patrimoine mondial de l'humanité.
Inscrit par l'Unesco au patrimoine mondial de l'humanité, le château de Versailles (Yvelines) célèbre la gloire de Louis XIV. Le Roi-Soleil décida en 1661 d'agrandir et d'embellir un pavillon de chasse ayant appartenu à son père, Louis XIII. Les travaux durèrent jusqu'en 1690 pour un coût de 60 millions de livres. Le palais, où s'illustrèrent les architectes Louis Le Vau et Jules Hardouin-Mansart, fut imité partout en Europe : du Peterhof, le Versailles russe de Pierre le Grandà Saint-Pétersbourg, au Sans-Souci, château de Frédéric II de Prusse. Les jardins de Versailles, dessinés par André Le Nôtre, abritent près de trois cents vases et statues. Menacés par l'usure du temps, ils peuvent désormais être « adoptés » par des mécènes soucieux de leur restauration.

Ce n'est pas facile d'obtenir l'autorisation de voler au-dessus du château de Versailles et c'est aussi très difficile de le photographier en entier, même du ciel. Mais je suis fasciné par l'idée qu'un simple relais de chasse soit devenu, en une trentaine d'années, un des plus magnifiques châteaux au monde. - YAB
La photo en tout cas est étonnante, on dirait que le château se reflète dans une paire de lunettes de soleil. - PPDA

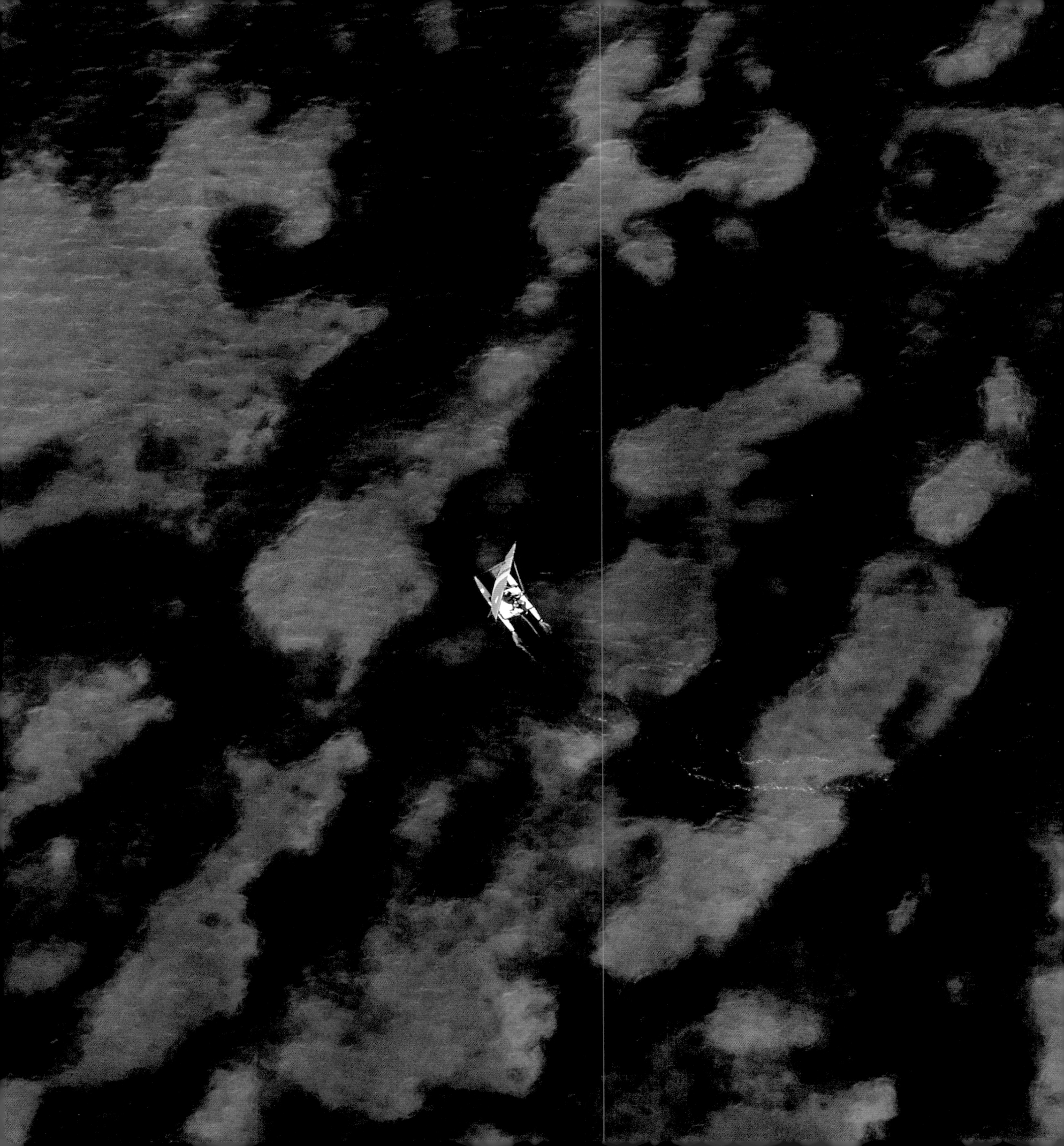

Page 218

• Le Vieux-Port de Marseille.
Marseille (Bouches-du-Rhône), ou plutôt la Cité phocéenne, prend naissance au VIe siècle avant Jésus-Christ, avec la découverte, par des navigateurs grecs venus de Phocée, de son extraordinaire plan d'eau : 60 hectares protégés. Un premier bassin de 2 hectares et de 40 mètres de profondeur y est creusé au Ier siècle avant notre ère. Le Vieux-Port sera ensuite fortifié au XVIe siècle par François Ier qui fait construire la tour Saint-Jean. Louis XIV renforcera ces défenses pour surveiller la rade et armer une puissante flotte de galères. Au XVIIIe siècle, le Vieux-Port, accessible par la Canebière, sera au centre de la vie économique locale. Aujourd'hui, alors que les docks établis hors les murs font de Marseille le deuxième port de France, ses pontons accueillent toujours quantité de « pointus », les embarcations traditionnelles.

Ces pointus que l'on voit dans le Midi sont aussi vieux que le port de Marseille. Ils font partie de l'héritage familial et se transmettent de génération en génération. - YAB
Voilà le cœur d'une ville qui tient à sa singularité. Marseille a fêté récemment ses deux mille six cents ans ans d'existence. - PPDA

Page 219

• En mer, près des îles de Glénan.
Les eaux transparentes de l'archipel de Glénan (Finistère) attirent non seulement de nombreux bateaux de plaisance, mais aussi les grands catamarans qui défient volontiers les océans du monde.

Ci-contre

• Chenonceau, fleuron du Val de Loire.
Bâti sur les fondations d'un ancien moulin fortifié planté dans le lit du Cher, le château de Chenonceau (Indre-et-Loire) est l'un des plus célèbres du Val de Loire, avec 750 000 visiteurs par an. Élégant et plein de charme, ce château dit « des dames » a été construit de 1513 à 1521 par Katherine Briçonnet pour le compte de Diane de Poitiers, maîtresse du roi Henri II. La favorite fit édifier le pont reliant l'édifice à l'autre rive de la rivière, sur lequel la reine Catherine de Médicis fera ensuite élever une galerie à double étage de 60 mètres de long. Deux jardins géométriques, abritant quarante mille plants de fleurs dans un parc de 70 hectares, sont dédiés aux égéries du lieu.

Je voudrais éviter les châteaux, ils sont tellement photographiés. Mais celui-ci est magnifique. Pendant la Seconde Guerre mondiale, il servait d'hôpital et la ligne de démarcation passait précisément là. Beaucoup de Français en ont profité pour gagner la zone libre. - YAB
Et il a été le siège du pouvoir pendant plusieurs siècles, le long de cette Loire qui régule la vie française... Quand on parle de moitié nord ou sud, c'est la Loire qui sert de ligne de démarcation et, sur ses bords, la douce France, la France éternelle, la France des rois. - PPDA

Double page suivante

• L'archipel de Glénan, au large du Finistère.
« Métissé de Bretagne et de Pacifique », selon l'expression du navigateur Olivier de Kersauson, l'archipel de Glénan se situe dans l'Atlantique à dix milles au large de Concarneau (Finistère). Un dépôt calcaire particulier, le maërl, et la clarté des fonds donnent à ses eaux les couleurs des lagons tropicaux. Huit de ses treize îles, sablonneuses et battues par les vents, sont habitables ou habitées en été, mais seule Saint-Nicolas, reliée par navette au continent, accueille de nombreux estivants. Le célèbre centre nautique des Glénans, lui, ne désemplit pas : avec quatre îles à sa disposition, la première école de voile d'Europe initie chaque année quatorze mille stagiaires aux joies de la plaisance.

Les Glénans sont un lieu mythique pour tous ceux qui font de la voile. Aujourd'hui encore, cette école est une référence. - YAB

Double page précédente

• Inondations à Port-d'Ouroux-sur-Saône.
Le val de Saône et ses prairies humides sont depuis toujours inondables, et des digues, aménagées sur les berges dans les années 1850, protègent les villages de la région. Pourtant l'importance des crues de ces dernières années, comme ici à Port-d'Ouroux (Saône-et-Loire), a obligé les habitants à s'organiser pour vivre plusieurs jours en autarcie au milieu des eaux. Matin et soir, des pompiers en barque assuraient le ravitaillement et la distribution du courrier ainsi que la distribution des médicaments ou autres produits de première nécessité.

Page de gauche

• Le Haut-Kœnigsbourg, forteresse néogothique.
Campé sur un promontoire rocheux à 757 mètres d'altitude, le château du Haut-Kœnigsbourg (Bas-Rhin) a connu une histoire tumultueuse. Le premier Kœnigsbourg (château royal) est détruit en 1462, bientôt remplacé par une forteresse capable de résister au développement de l'artillerie. Incendié en 1633, ses ruines sont offertes en 1899, par la ville alsacienne de Sélestat, au kaiser Guillaume II, en visite dans cette région sous domination allemande depuis la défaite de Napoléon III à Sedan (1870). Scrupuleusement restauré dans le style néogothique par l'architecte Bodo Ebhardt, le château rénové devient propriété de la France par le traité de Versailles, au lendemain de la Grande Guerre. Classé monument historique et doté depuis 2001 d'un jardin médiéval, il reçoit plus de cinq cent mille visiteurs par an.

Ce château fort a été entièrement restauré au XIXe siècle par un architecte germanique aussi amoureux du néogothique que Viollet-le-Duc ! - YAB

Oui, et je crois que c'est ici qu'a été tourné le film de Jean Renoir, La Grande Illusion, *avec Jean Gabin, Erich von Stroheim, Pierre Fresnay et Julien Carette...* - PPDA

Ci-contre

• La cathédrale Notre-Dame de Strasbourg.
Dominant les rues étroites de la vieille ville, la cathédrale gothique de Strasbourg (Bas-Rhin), construite entre le XIe et le XVe siècle, culmine à 142 mètres avec sa flèche, achevée en 1439. Jusqu'au XIXe siècle, l'édifice fut le plus haut d'Europe avant d'être détrôné par les flèches modernes des cathédrales d'Ulm (161 mètres), en Allemagne, et de Rouen (148 mètres). Sa façade de style flamboyant, en grès rose des Vosges, mesure 80 mètres de haut et 35 mètres de large. Les sculptures, pour certaines attribuées au maître d'œuvre Erwin de Steinbach, ont été saccagées sous la Révolution et remplacées par des copies. Bombardée en 1944, à la fin de la Seconde Guerre mondiale, la cathédrale de Strasbourg a fait l'objet de travaux de restauration. Elle est inscrite au patrimoine mondial de l'humanité depuis 1988.

La pierre de la cathédrale de Strasbourg a été très attaquée par la pollution. Aujourd'hui, les moteurs diesel sont interdits dans son périmètre. - YAB

Cette cathédrale n'a pas été terminée... Cela fait partie de son charme. - PPDA

Ci-dessous

• La ville fortifiée de Neuf-Brisach. Située à quatre kilomètres du Rhin, frontière naturelle avec l'Allemagne, la ville de Neuf-Brisach (2100 habitants, dans le Haut-Rhin) a toujours joué un rôle défensif dans l'histoire. Fortifiée au XVIIe siècle par Vauban et considérée comme « le plus beau diamant de la couronne de France » par le roi Louis XIV, elle a longtemps abrité une garnison militaire. Cette ancienne place forte, qui constitue également un port sur le canal du Rhin, tire désormais profit de son environnement pour s'imposer comme un lieu touristique en Alsace.

Page de droite

• Port-Camargue, une marina d'exception. En 1967, ce site n'était que dunes et marécages. Après une sévère démoustication, il s'est transformé sous l'impulsion de l'architecte Jean Balladur, pour devenir l'un des plus grands ports de plaisance d'Europe, avec un total de 4860 anneaux. La construction de la marina de Port-Camargue (Gard) s'est achevée en 1985. Cette cité marine, située sur la commune du Grau-du-Roi, héberge à l'année un millier de résidents parmi les 6500 habitants de la ville.

Double page suivante

• Gravelines, citadelle de Vauban. Ancien port de pêche aux harengs, entre les rives de la rivière Aa et la Côte d'Opale, Gravelines (12650 habitants, dans le Nord) a été fortifiée pour la première fois en 1610. Mais cette ville des Flandres, rattachée à la France par la paix des Pyrénées en 1659, sera enserrée dans son enceinte de briques par le marquis Sébastien Vauban. En 1680, le commissaire général des fortifications de Louis XIV la hérisse de ses bastions d'angle entourés de fossés en eau profonde. Les remparts permettront à Gravelines de résister pendant une semaine à l'avancée des troupes allemandes, en mai 1940, laissant le temps à quelque 340000 soldats alliés d'évacuer Dunkerque pour l'Angleterre.

Ci-dessous

• Les montagnes russes du parc Astérix.
Depuis sa création en 1989, sur 20 hectares à Plailly (Oise), le parc Astérix s'est imposé comme le deuxième des grands parcs d'attractions français, avec 1 800 000 visiteurs par an pendant les mois d'ouverture, d'avril à octobre. Tout en restant fidèle à la thématique qui a fait son succès, « le plus gaulois des parcs » propose régulièrement de nouvelles distractions, comme ces montagnes russes en bois, baptisées « Tonnerre de Zeus », qui comptent parmi les plus hautes d'Europe avec 30 mètres de dénivelé pour un circuit de 1,200 kilomètre parcouru à la vitesse de 80 km/h.

Page de droite

• L'Arc de triomphe, à Paris.
Commandé par Napoléon à la gloire de sa Grande Armée, l'Arc de triomphe, dans le VIIIe arrondissement de Paris, a été achevé en 1836 et inauguré par le roi Louis-Philippe. L'architecte Jean Chalgrin s'inspira des modèles de l'Antiquité pour concevoir les plans de ce monument de 50 mètres de haut et 45 mètres de large. L'arc porte quatre bas-reliefs dont la Marseillaise, une œuvre du sculpteur François Rude en hommage aux volontaires enrôlés en 1792 pour défendre la patrie en danger. L'Arc de triomphe abrite depuis 1920 le corps du Soldat inconnu, une victime anonyme de la Première Guerre mondiale, et la flamme du souvenir est ranimée tous les jours à 18 h 30.

Double page suivante

• Le lazaret de l'île Ratonneau, à Marseille.
L'île Ratonneau, parmi les quatre de l'archipel du Frioul, au large de Marseille (Bouches-du-Rhône), abrita longtemps un centre de quarantaine pour les navires venus d'Orient, souvent porteurs de maladies comme la peste. En 1820, une épidémie de fièvre jaune obligea les autorités à repenser le lazaret Ratonneau et à construire, deux ans plus tard, l'hôpital Caroline. L'établissement, conçu comme une forteresse, répondait aux exigences des hygiénistes de l'époque : une bonne ventilation contre les miasmes, des murs infranchissables et un règlement intérieur aussi strict qu'en prison. En 1970, la municipalité de Marseille a doté l'île d'une marina de 700 anneaux et l'hôpital est devenu une curiosité.

Page 236

Page 237

• Le Mont-Saint-Michel. La « Merveille de l'Occident », construite entre le VIIIe et le XVIe siècle dans la baie du Mont-Saint-Michel (Manche), fait l'objet d'un gigantesque projet de désensablement pour la rendre à la mer. Les herbus, qui progressent à ses pieds de 30 hectares par an, ont en effet privé le rocher de son insularité. Dans le même temps, le site, victime de son succès avec plus de trois millions de touristes chaque année, a été défiguré par les parkings sur 16 hectares de grèves. D'importants travaux hydrauliques devraient modifier le débit de la rivière du Couesnon afin qu'elle produise un effet de « chasse d'eau » entraînant les alluvions vers le large avec la marée descendante. L'actuelle digue sera remplacée par un pont-passerelle de 2,8 kilomètres, laissant l'eau divaguer librement. L'accès au Mont-Saint-Michel se fera par une navette, tandis qu'un nouveau parc de stationnement, au lieu dit la Caserne, accueillera 4150 véhicules. Le coût total du chantier est évalué à 220 millions d'euros. Comme d'autres monuments prestigieux, le Mont-Saint-Michel, inscrit au patrimoine mondial de l'Unesco, possède sa réplique en modèle réduit, dans le parc de loisirs « France Miniature » ouvert en 1991 à Élancourt (Yvelines). Quelque cent cinquante maquettes mettent ici le château de Chambord, le Grand Stade de France ou la tour Eiffel à portée de main des visiteurs !

Le dicton le dit bien : « Le Couesnon en sa folie mit le mont en Normandie »... Le Couesnon est la petite rivière qui sépare la Normandie de la Bretagne et jusqu'au XVe siècle, il se jetait à droite du Mont-Saint-Michel, qui était donc alors breton. Maintenant, il est normand. Mais foin de toutes ces querelles. Ce qui compte, c'est la capacité de l'homme à construire sur ce petit rocher quelque chose d'aussi immuable et magnifique. Sans parler de la spiritualité, presque de la sainteté, qui émane de cet endroit. Les moines ont travaillé non pour leur propre édification, mais pour celle du monde. Ce n'est pas un hasard si c'est le monument français le plus visité hors de Paris. C'est ce que le génie humain a su faire de mieux. - YAB

Le Mont-Saint-Michel s'ensable, victime des contradictions de l'homme quand il irrigue n'importe comment, quand il s'en prend aux bocages de naguère, quand il pollue sans le savoir... On cherche maintenant des formules qui devraient permettre à la mer de revenir dans son écrin naturel. À l'horizon 2020, en tout cas... - PPDA

Ci-contre

• Sous la protection de l'archange saint Michel. Nettoyé et restauré, l'archange du Mont-Saint-Michel, « Prince des milices célestes », veille aujourd'hui comme hier sur les pèlerins qui, depuis le Moyen Âge, entreprennent de parcourir la baie pour se rendre à l'abbaye. Chaque année, quarante mille personnes, en short et pieds nus, se lancent dans cette entreprise, devenue touristique, sous la houlette d'un guide averti. La traversée, à marée basse, au départ du bec d'Andaine, prend deux heures à travers les sables.

L'archange a été restauré, il y a peu. Il est maintenant revenu sur son perchoir et il veille sur les Normands... et sur les Bretons! Le doré et l'argenté se répondent. Il y a le matériau humain et celui de la nature. La quintessence de ce que l'un et l'autre savent faire de meilleur. - PPDA

Ci-dessous

• La Grande Borne, autrefois exemplaire.
Construite entre 1967 et 1971 sur des terrains agricoles appartenant aux communes de Grigny et de Viry-Châtillon (Essonne), la Grande Borne a fait son temps. Son architecte Émile Aillaud, disciple de Le Corbusier, avait imaginé une cité HLM exemplaire, abritant dans ses courbes alors futuristes plusieurs milliers de logements. Mais la Grande Borne, isolée par l'autoroute A6, manquait de tout : écoles, crèches, commerces...
La dégradation de la cité a conduit les pouvoirs publics à envisager sa destruction dans le cadre d'un « Grand Projet de ville », en 2000.

L'homme n'est pas fait pour habiter dans ces univers concentrationnaires... Après guerre, ces cités ont répondu à un affolement général et à un manque de considération... On a attiré vers les grandes villes des gens qui n'auraient pas dû venir ici. Il y a eu aussi une faillite générale de l'urbanisme et des architectes... Pour que trente ans après, on en soit à démolir! Bien sûr, on trouve son bonheur partout, mais en offrant cet environnement aux habitants, on ne leur donne pas les meilleures conditions de l'épanouissement. - PPDA

Page de droite

• L'île aux Oiseaux, dans le bassin d'Arcachon.
Affichant une surface de 300 hectares à marée haute qui triple à marée basse, l'île aux Oiseaux, autrefois connue comme l'île de la Teste, se dresse au cœur du bassin d'Arcachon (Gironde). Sauvage, plantée de bruyères et de chardons, elle a longtemps servi de pacage pour les vaches et les chevaux des fermes alentour qui profitaient de son herbe réputée tonique. Au siècle dernier, les pêcheurs y ont aménagé des cabanes « tchanquées », c'est-à-dire montées sur des échasses en gascon, pour se protéger du flux. Les oiseaux qui s'y rassemblent en colonies ont fini par donner leur nom à ce petit paradis facilement accessible en bateau.

Ci-contre

● **Les jardins de la mer, à La Tremblade.**
Le bassin ostréicole de Marennes-Oléron se déploie dans l'estuaire de la Seudre, en Charente-Maritime. Plusieurs petits ports, L'Éguille, Étaules et surtout, ici, celui de La Tremblade, à l'embouchure, y produisent chaque année 60 000 tonnes d'huîtres. Partout, des chenaux d'accès sont aménagés à travers la mosaïque des « claires », des bassins d'affinage qui font ici la spécificité de cette culture. Quelque cent vingt cabanes ostréicoles, peintes de couleurs vives sur les quais du port, représentent une vingtaine de sociétés exploitantes.

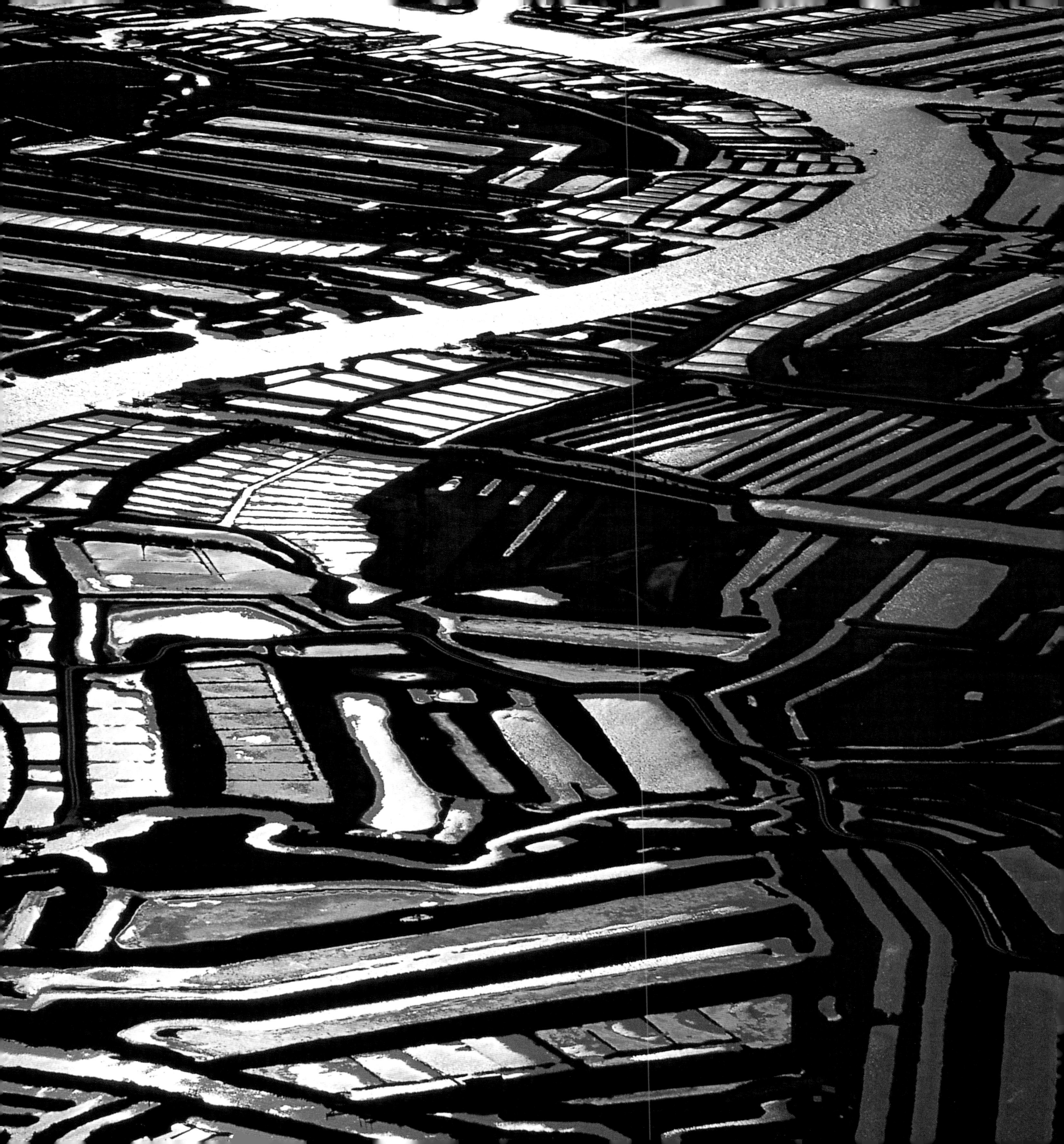

Ci-contre

• Chambord, relais de chasse de François Ier.
Personne ne connaît l'architecte du château de Chambord (Loir-et-Cher), même si quelques esquisses sont attribuées à Léonard de Vinci. Sa construction, décidée par François Ier, sera l'une des plus longues du XVIe siècle (1519-1547) et mobilisera 1800 ouvriers. L'édifice, long de 156 mètres et large de 117 mètres, compte 440 pièces, 365 fenêtres, 365 cheminées, 13 escaliers et 800 chapiteaux, pilastres et clochetons dressés vers le ciel dans une débauche de pierres et d'ardoises. Chambord se dresse dans un parc forestier de 5440 hectares. Seul domaine royal demeuré en l'état, il constitue depuis 1947 une « réserve nationale de chasse ». Mais depuis l'élection du président Jacques Chirac, en 1995, la chasse s'y pratique uniquement à des fins écologiques pour réguler les espèces, lièvres ou sangliers.

Page 246

• Les parkings de Renault-Flins.
La construction des usines automobiles Renault à Flins, dans les Yvelines, a commencé en 1950, sur un terrain de 224 hectares, leur valant alors le qualificatif d'« usines aux champs ». Il faudra remuer 100 000 mètres cubes de terre pour niveler la plate-forme des chaînes de montage. Actuellement, l'entreprise, qui a conclu une alliance avec le constructeur japonais Nissan en 1999, produit ici 270 Twingo et 890 Clio par jour, garées sur d'immenses parkings en attendant de prendre la route. L'usine emploie six mille salariés.

Page 247

• Réhabiliter d'anciennes variétés de fruits.
Depuis quelques années, la chambre d'agriculture des Hautes-Alpes s'emploie, en collaboration avec le Conservatoire botanique national alpin, à réhabiliter certaines variétés de fruits en voie de disparition comme la pomme « Pointue de Trescléoux », l'abricot « orange de Provence » ou les poires « Curé ». Des vergers de plein-vent ont été restaurés, ici près de Gap (Hautes-Alpes), et des sites expérimentaux créés dans la région.

Ci-contre

● **Au bonheur de la plaisance.**
Toutes les calanques ne sont pas protégées et certaines, près de Marseille (Bouches-du-Rhône), sont devenues de véritables ports de plaisance.

Page de droite

● **Les îles Chausey, le plus grand archipel d'Europe.**
Site classé, l'archipel de Chausey s'étire dans la Manche, au large du Cotentin. À marée basse, cet archipel révèle autant d'îles que de jours de l'année, soit 365, réduites à 52 à marée haute. Avec un marnage de 14 mètres, la basse mer libère un territoire de 40 kilomètres carrés qu'il est possible de parcourir à pied, entre rochers et cailloux.

Chausey, il faut y aller à marée basse car d'un seul coup, le territoire devient immense... - YAB
Un très bel endroit, très accueillant, et un avant-poste vers l'Angleterre, comme les Minquiers très longtemps disputés qui appartiennent maintenant aux Anglais. - PPDA

Double page suivante

● **La forteresse de Polignac.**
Ce château médiéval inexpugnable, dressé sur une butte volcanique entre les XIe et XVIe siècles derrière un système de fortifications unique en son genre, domine la ville de Polignac (Haute-Loire) du haut de son donjon carré (32 mètres). La forteresse, longtemps fermée au public, a rouvert ses portes en 2004, permettant de découvrir son chemin de ronde et ses profondes citernes. La princesse Constance de Polignac, héritière du château, poursuit des fouilles archéologiques pour retrouver les fondations de l'édifice et le reconstruire dans une perspective moins historique que culturelle, avec un amphithéâtre.

Double page précédente

• Le Vercors, une oasis de nature.
Conifères et feuillus s'élancent à l'assaut des reliefs escarpés du Vercors, ici dans le nord du massif (Isère). Certains agriculteurs de la région se sont tournés vers des productions plus écologiques basées sur le principe du « slow food », impliquant un développement moins intensif. La villard-de-lans, une race bovine déclassée en 1946, a été réintroduite dans les alpages. Ces vaches robustes étaient autrefois utilisées pour les labours. Elles sont à présent appréciées pour la qualité de leur viande et de leur lait.

Ci-dessus

• Brebis dans les grands causses de Lozère.
Ovins et caprins sont ici plus nombreux que les hommes et 300 000 moutons sillonnaient la Lozère en 1850 ! Actuellement, ce département encore essentiellement rural, avec 14 % de la population active employée dans l'agriculture (contre 4 % au niveau national), compte d'importants troupeaux, jusqu'à 5 000 têtes parfois, transhumant sur les hauts plateaux calcaires ou causses, à 1 000 mètres d'altitude, vers les crêtes du mont Lozère (1 699 mètres). Au total, quelque 150 000 chèvres et brebis font vivre un millier d'exploitations. Ces bêtes sont surtout élevées pour leur lait destiné à la fabrication des fromages du cru : le roquefort ou le pélardon des Cévennes.

Page de droite

• Floraison dans les monts du Lyonnais.
La moitié des cerisiers qui fleurissent actuellement dans les monts du Lyonnais sont des arbres jeunes, plantés au cours de la dernière décennie, faisant ainsi du département du Rhône le troisième producteur de cerises en France.

Ci-contre

• Recherches agronomiques dans la Beauce.
La fragilité de la nappe phréatique de la Beauce, un réservoir souterrain contenant 20 milliards de mètres cubes d'eau menacés par les nitrates, oblige les agriculteurs à envisager de nouveaux types de cultures.
Des essais sont en cours pour développer des « jachères cultivées » produisant des plantes à parfum pour la « Cosmetic Valley » de Chartres ou des œillettes opiacées pour l'industrie pharmaceutique. L'introduction de certaines plantes fourragères, dont les nodules sont capables de retenir l'azote, source de pollution, est également à l'étude.

Page de droite

• Culture de la vigne en Val de Loire.
La vallée de l'Indre, un affluent de la Loire mis à l'honneur par Honoré de Balzac avec *Le Lys dans la vallée* en 1836, abrite des vignobles prospères, ici près d'Oulches (Indre).
Les cépages participent à la production viticole de l'Interloire qui regroupe les vins d'Anjou, de Sancerre et de Touraine. L'ensemble de ces vignes occupent 62 000 hectares de terrains pour plus d'une vingtaine d'appellations d'origine contrôlée (AOC).

Double page précédente

• Le village viticole de Heiligenstein. Blotti autour de son église à 280 mètres d'altitude, au pied du mont Sainte-Odile, le village alsacien de Heiligenstein (Bas-Rhin) est connu pour sa vocation viticole depuis le XIIe siècle. C'est en 1742 qu'y fut introduit le klevener, un cépage spécifique au goût de terroir prononcé, qui a fait sa réputation jusqu'à nos jours. Le klevener de Heiligenstein bénéficie d'une appellation d'origine contrôlée depuis 1945 et son aire de production s'étend sur 100 hectares. Le village fait partie de la « route des vins d'Alsace » (170 kilomètres) qui traverse l'ensemble du vignoble (12 000 hectares).

Ci-contre

• Les Baux-de-Provence. Le village des Baux-de-Provence (Bouches-du-Rhône), classé parmi les plus beaux de France, se dresse sur un plateau rocheux à 245 mètres d'altitude dans les Alpilles. Cette ancienne forteresse a été patiemment restaurée, avec son château, son église et ses hôtels particuliers de style Renaissance. Cinq cents habitants, dont de nombreux artistes, vivent ici à l'année, mais le site attire plus d'un million et demi de visiteurs par an.

Page de gauche

• Castillon-du-Gard.
Au cœur du vignoble des côtes-du-rhône, la butte de Castillon-du-Gard (1 000 habitants), dans le Gard, a été occupée par l'homme depuis la préhistoire. Située à proximité de l'antique pont du Gard, la commune abrite les ruines de l'ancienne villa romaine de la Gramière, sans doute du Iᵉʳ siècle. Le village, restauré à la fin des années 1970, déploie un charme tout méridional entre ruelles pavées et gargouilles.

Ci-contre

• Le clocher de Sainte-Foy-l'Argentière
Blottie dans une vallée à 450 mètres d'altitude dans les monts du Lyonnais, la commune de Sainte-Foy-l'Argentière (1 186 habitants), dans le Rhône, tire son nom des gisements de plomb argentifère exploités ici durant le Moyen Âge. Son église néoromane a été édifiée au XIXᵉ siècle sur les ruines d'une ancienne chapelle médiévale, et son clocher coiffé de tuiles colorées produites dans la région.

Double page suivante

• Les cerisiers à l'honneur dans le Vaucluse.
Plantés en rangs serrés sur les coteaux du Lubéron (ici, à proximité de Saint-Saturnin-lès-Apt), les cerisiers contribuent à la richesse agricole du Vaucluse, premier département français pour ce fruit rouge. Les vergers fournissent ainsi 20 % des cerises de table, avec la burlat, et 75 % des cerises destinées à la transformation : les fruits confits fabriqués dans la région d'Apt, mais aussi les confitures ou les yogourts parfumés.
Cette culture est souvent associée à celle du raisin, le muscat notamment, mais le département s'est aussi spécialisé dans la production de melons, à Cavaillon, ou de pommes, sur les rives de la Durance.

Double page précédente

• La récolte des olives aux Baux-de-Provence. Avec deux cent cinquante mille arbres en exploitation, la vallée des Baux-de-Provence (Bouches-du-Rhône) se veut la terre de l'olivier. Deux mille deux cents producteurs y cultivent la salonenque, la verdale, la grossane ou la béruguette, autant de variétés qui entrent dans la composition de l'huile d'olive des Baux, une appellation d'origine contrôlée. Les olives de bouche, « vertes cassées » ou « noires piquées », se récoltent fin août, début septembre. Celles qui alimenteront les moulins à huile dès le mois de novembre sont ensuite ramassées au « peigne » et recueillies dans des filets. Il est essentiel que les fruits mûrs ne touchent pas le sol pour assurer la qualité de l'huile (500 000 litres par an).

Ci-contre

• Le château de Montsoreau. Immortalisé par le roman d'Alexandre Dumas *La Dame de Montsoreau*, le château éponyme se dresse depuis le XIe siècle au bord du plus long fleuve de France (1 020 kilomètres). Jadis forteresse stratégique, c'est le seul château ligérien à avoir « les pieds dans l'eau ». Reconstruit à la Renaissance par Jean II de Chambes, conseiller du roi Charles VII, il s'impose comme un fief « papiste » face à Saumur « la protestante » pendant les guerres de Religion, au XVIe siècle. Le conseil général du Maine-et-Loire l'a restauré de 1994 à 2001. Depuis, le château de Montsoreau, dans le Val de Loire inscrit au patrimoine mondial de l'humanité, attire environ trente mille visiteurs par an.

La Loire n'a rien d'un fleuve mollasson ; elle peut être capable des pires excès, des pires caprices. Mais on a l'impression que rien ne pourra atteindre ces fortifications et cet art de vivre français. - PPDA

Double page suivante

• L'éphémère beauté du land art. Profitant de la neige tombée sur ce parc des Yvelines, un artiste, Jacques Simon, a dessiné ces courbes éphémères dans la tradition du land art, une tendance de l'art contemporain qui se caractérise par un travail dans la nature même. Ce courant esthétique, apparu dans les années 1960 aux États-Unis, prétend utiliser *in situ* des matériaux comme le sable, le bois ou la terre, pour en faire des œuvres ensuite laissées sur place. C'est dans cet esprit que Christo a emballé le Pont-Neuf, à Paris, ou que Jean Vérame a peint les montagnes du Tibesti, au Sahara.

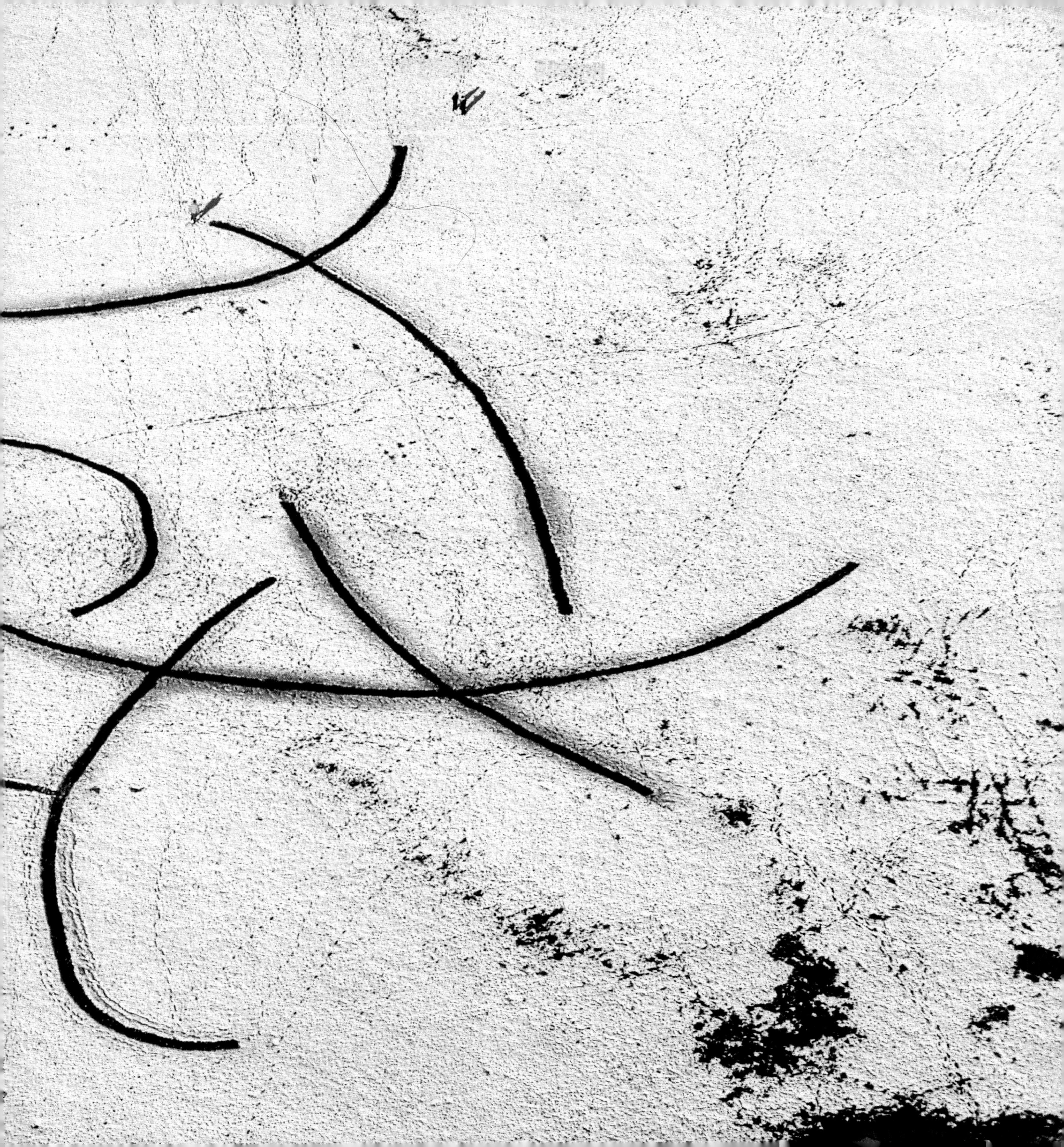

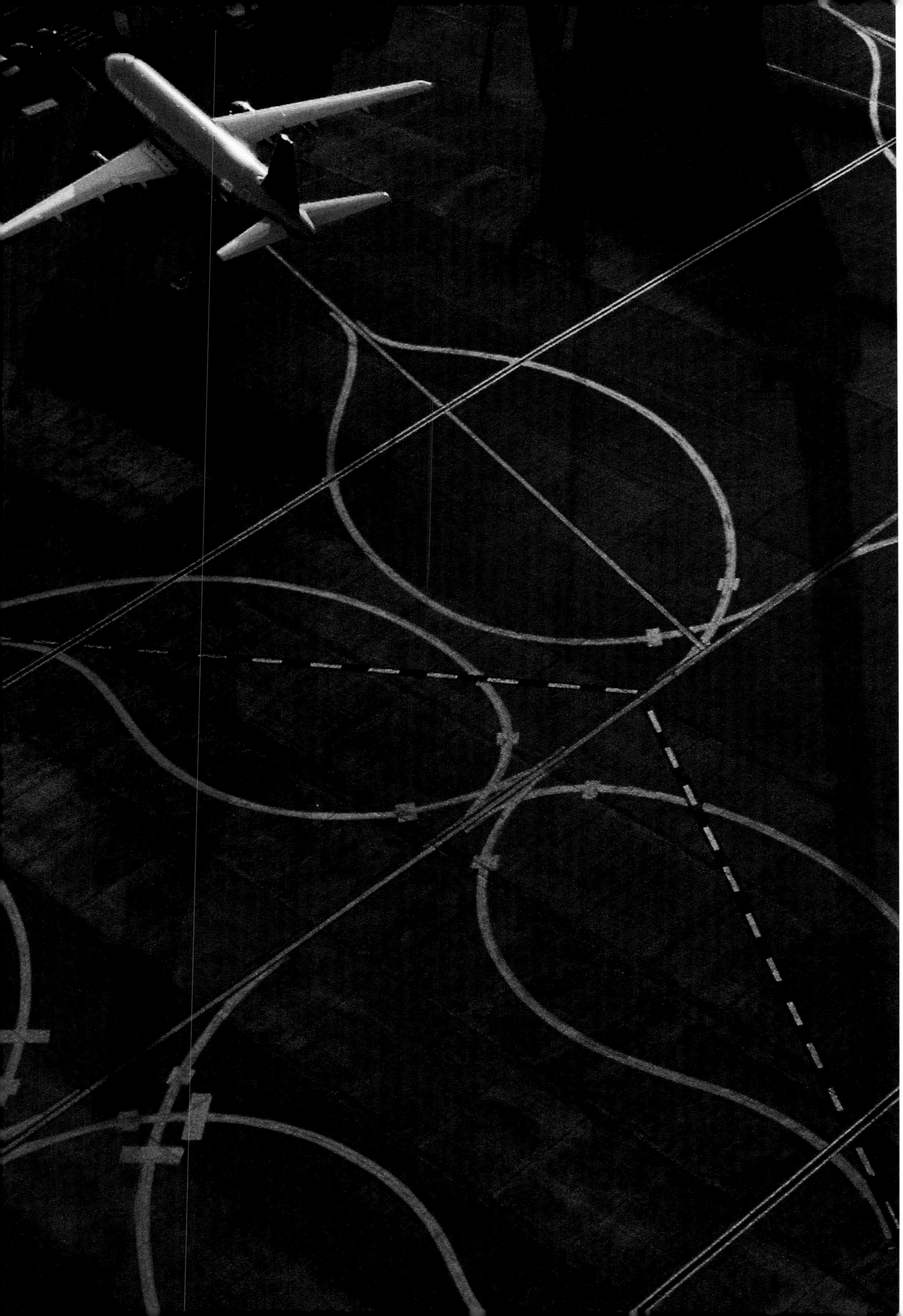

Ci-contre

• Airbus à Toulouse. L'Airbus A380, dont un prototype a effectué avec succès un vol d'essai le 18 janvier 2005 à Toulouse-Blagnac (Haute-Garonne), confirme l'importance de ce centre aéronautique, le premier d'Europe. Le super-jumbo, géant du ciel avec 73 mètres de long, 80 mètres d'envergure et un poids total en charge de 861 tonnes pour 656 places de passagers, a été assemblé ici, treize ans après la conception du projet. Les composantes de l'appareil ont été fabriquées dans les seize sites d'Airbus répartis en Europe : les ailes viennent de Grande-Bretagne, l'arrière du fuselage de Hambourg (Allemagne), le caisson central de Nantes... Les éléments de ce puzzle ont été acheminés à Toulouse par des convois routiers exceptionnels d'environ 500 mètres de long, entraînant l'abattage de plusieurs centaines d'arbres sur le parcours. La naissance d'un pôle de compétitivité industriel autour d'une « Aerospace Valley » en Aquitaine et Midi-Pyrénées se profile à présent, avec la création annoncée de quarante mille emplois en vingt ans.

Page de droite

• Toulouse, la belle Occitane. Établie dans une boucle de la Garonne avec ses toits de tuiles romaines, Toulouse (Haute-Garonne) était déjà célèbre vers l'an mille pour son art de vivre. La ville et maintenant son agglomération (480 000 habitants) se sont développées au fil des siècles autour de la basilique romane de Saint-Sernin. L'ancien fief des comtes de Toulouse, construit en briques roses et rattaché à la couronne de France en 1271, compte plus de soixante-dix hôtels particuliers des XVIe et XVIIe siècles. Grâce à Airbus, Toulouse est devenue la capitale européenne de l'aérospatiale et son dynamisme en a fait la quatrième ville de l'Hexagone.

Toulouse est l'une des plus belles villes du monde. J'aime cette harmonie totale. Avec le rose évidemment, couleur dominante, qui se décline tout autour de la place du Capitole. - PPDA

En survolant cette ville, j'avais dans la tête la chanson de Claude Nougaro : « Toulouse ». - YAB

Quand on l'entend chanter, comme cela se fait de plus en plus dans les matchs de rugby, c'est autre chose que les chants guerriers qu'on entend dans d'autres stades... - PPDA

JA708J

F74
F76
F78
F80
F80
STOP

Page 274

• Dans le golfe du Morbihan. Véritable mer intérieure sur l'océan Atlantique, le golfe du Morbihan, au large de Vannes (Morbihan), ne compterait pas moins de 365 îles, dont Houat, Hoëdic et Belle-Île parmi les plus importantes. Selon la légende, ce golfe aurait été formé par les larmes des fées de Brocéliande chassées de la forêt bretonne, et les îlots par les fleurs qu'elles y auraient jetées. Ici, ce sont les marées qui commandent aux bateaux, les faisant tourner sur leur ancre en se retirant.

Page 275

• Belle-Île-en-Mer. La plus grande des îles bretonnes, formée de schistes et longue de vingt kilomètres sur neuf de large, constitue un paradis de la plaisance dans le golfe du Morbihan. En été, les pontons encombrés du port du Palais obligent les navigateurs à pratiquer une nouvelle forme de mouillage, en couronne. Devenue très touristique, Belle-Île (5000 habitants) n'en reste pas moins agricole, qui produit des fruits, des légumes et des pommes de terre introduites ici en 1766. Au début du XXe siècle, l'actrice Sarah Bernhardt y possédait une résidence à la pointe des Poulains.

Double page précédente, ci-dessus et page de droite

• L'aéroport de Roissy-Charles-de-Gaulle. Les travaux de l'aéroport de Roissy-Charles-de-Gaulle (Val-d'Oise) ont commencé en 1967, sous la responsabilité de Paul Andreu, ingénieur et architecte attitré d'Aéroports de Paris (ADP), pour se poursuivre module après module jusqu'à nos jours, avec l'inauguration du terminal 2E en juin 2003. Les différentes aérogares accueillent chaque année environ 44 millions de passagers et enregistrent plus de 700000 mouvements d'avions.

Comme un scarabée géant l'aéroport s'étale et attire autour de lui des myriades d'avions, petites excroissances qui s'agglutinent autour de lui. - YAB

Et pourtant on n'a pas chanté Roissy comme Gilbert Bécaud l'a fait pour Orly. Trop d'avions peut-être, trop de bruit et, malgré tout, bien souvent, le départ vers des destinations de rêve... - PPDA

Ci-contre

• Coup de chaud sur les marécages de Camargue. Dans les Bouches-du-Rhône, la plaine de Camargue, qui culmine à un mètre au-dessus du niveau de la mer, serait l'une des premières victimes du réchauffement planétaire si le niveau des océans devait monter. En attendant, il suffit d'un été de canicule pour que le delta du Rhône s'assèche et se craquelle, laissant le sel qui imprègne ses marécages dessiner au soleil les épines d'un étrange chardon… Cette zone écologique protégée est unique. Elle sert de refuge aux flamants roses et abrite quantité de plantes halophiles, comme la salicorne.

Quand je fais de la photographie aérienne, je cherche en permanence un graphisme. Là, c'est en Camargue, dans la boue. Je suis à seulement cinq mètres du sol et le paysage devient totalement abstrait. Impossible de savoir si cette photo est prise de très près ou de très loin. - YAB

On arrive pratiquement à un dessin de l'Antiquité. On pourrait se croire chez les Grecs, avec une poterie craquelée. - PPDA

Pascal disait que l'homme se sentait pris entre deux infinis, l'infiniment grand et l'infiniment petit. En hélicoptère, j'ai parfois l'impression de pouvoir atteindre les deux : des feuilles d'arbre peuvent donner l'illusion de l'érosion terrestre ; d'immenses crevasses peuvent être confondues avec des fissures sans importance… Ce n'est pas un hasard si la photographie au microscope ressemble souvent à la photographie aérienne. - YAB

Ci-contre

• Chasseurs dans les vignobles de la Loire. Des monts d'Auvergne à Saint-Nazaire, les vignobles occupent 80 000 hectares le long du cours de la Loire, pour s'achever dans l'aire d'appellation du Pays nantais (Loire-Atlantique). À l'automne, les chasseurs du dimanche battent la campagne et les vignobles qui jalonnent les rives du fleuve dans l'espoir de lever une perdrix. Ils sont environ un million en France à pratiquer ce sport, soit le plus gros effectif de l'Union européenne, provoquant la colère des écologistes qui réclament la restriction des périodes d'ouverture et une meilleure protection des animaux. Cependant, la chasse traditionnelle, respectueuse des ressources cynégétiques, permet de réguler les espèces qui se multiplient trop vite, comme le sanglier.

Ci-contre

• **L'église de Raynaude et son chemin de croix.** C'est sur une colline au pied des Pyrénées que l'abbé Rousse, vicaire du Mas-d'Azil, en Ariège, décida d'élever un sanctuaire quelques années après les apparitions de la Vierge dans la grotte pas si éloignée de Lourdes. En 1863, la création de l'église de Raynaude était complétée par celle d'un calvaire de quatorze chapelles. Les aumônes venant à manquer, c'est un visiteur américain, magnat du pétrole, John Rockefeller, qui fournit le chèque nécessaire à la fin des travaux. L'église et son chemin de croix furent terminés en 1895.

Ci-dessous

• La réserve naturelle de Scandola.
Créée parmi les premières en 1975, la réserve naturelle de Scandola, dominée par d'impressionnants massifs de porphyre rouge dans la presqu'île de Girolata (Corse), protège 9 000 hectares de maquis plantés de genévriers, d'arbousiers, de lavande ou de bruyère. Sangliers et renards s'y ébattent en toute sérénité.
Cette protection s'étend aussi sur un millier d'hectares marins, permettant de découvrir en bateau des coraux intacts et plus de quatre cent cinquante espèces d'algues au milieu desquels nagent parfois des mérous, un poisson devenu rare en Méditerranée.

Ci-contre

● **Maison semi-troglodyte à Cabrerets.** La vallée du Lot abrite aujourd'hui encore des maisons semi-troglodytes creusées dans les falaises, comme ici au Bout du Lieu, à Cabrerets (Lot). Dans la région, de nombreuses grottes ont été habitées depuis la préhistoire et pour certaines décorées de peintures rupestres, dont le musée de Pech-Merle, également sur la commune, raconte l'étonnante histoire.

Ci-contre

• Le golf de Sperone. En bordure de mer, à l'extrême sud de l'île de Beauté, près de Bonifacio (Corse), le Domaine de Sperone abrite un golf de dix-huit trous classé sixième parmi les meilleurs de France. Dessiné sur 78 hectares de terrain par l'architecte Robert Trent Jones en 1990, ce golf déploie un parcours de 6 106 mètres face à la réserve naturelle des îles Lavezzi. Dans cette région privilégiée entourée par le maquis, acheter une propriété avec vue sur le large est devenu un luxe : les prix de l'immobilier ont ici doublé au cours des cinq dernières années.

Double page suivante

• L'île de Bréhat. À la pointe de l'Arcouest dont elle est le prolongement, l'île de Bréhat (Côtes-d'Armor) déploie dans la Manche quantité d'îlots et d'écueils. Deux îles reliées par un pont forment cet ensemble insulaire de 3,5 kilomètres de long sur 1,5 de large. L'île du Nord, escarpée et dominée par le phare du Paon, est la plus sauvage ; celle du Sud, en revanche, baignée par le Gulf Stream, déploie une végétation presque méditerranéenne. Reliée au continent par des navettes, Bréhat (471 habitants) accueille jusqu'à cinq mille visiteurs par jour en été.

Ci-contre

• Vézelay, colline éternelle.
C'est à Vézelay, dans l'Yonne, que saint Bernard de Clairvaux, prédicateur cistercien, prêcha la deuxième croisade, en 1146. La basilique de la Madeleine, construite au XIIe siècle, est un bijou de l'art roman, avec sa nef voûtée en plein cintre et son tympan sculpté représentant le Jugement dernier. L'édifice a été restauré au XIXe siècle par Viollet-le-Duc, épris d'architecture médiévale. Vézelay, inscrit au patrimoine mondial de l'Unesco, reste un haut lieu de la spiritualité en France.

Il faut avoir assisté, un dimanche matin, à la messe à Vézelay, dans la petite chapelle latérale. On voit passer comme des fantômes blancs. Et puis on les entend chanter. Que l'on soit chrétien ou non, peu importe. On est au cœur de l'homme. On rentre dans son cœur, dans son propre cœur, pour y chercher des motifs de consolation ou d'espoir. Je suis admiratif de ce que nous ont légué nos ancêtres... Je me demande si nous sommes capables, nous, de laisser à nos descendants quelque chose d'aussi pur... - PPDA

Ci-contre

• Le Beaujolais boisé, vers le mont Saint-Rigaud.
Au nord du département de la Saône, le vignoble cède la place aux forêts alors que le relief s'accentue pour culminer au mont Saint-Rigaud, à 1 009 mètres d'altitude. Le Beaujolais boisé, surnommé la « Petite Suisse », abrite beaucoup de pins Douglas, originaires des États-Unis, mais aussi de nombreux feuillus : chênes, charmes, hêtres et châtaigniers. Des espèces animales rares, comme le bouvreuil et la chouette de Tengmalm, y vivent en paix.

Double page suivante

• Le Vercors, symbole de la Résistance.
Le massif calcaire du Vercors, environ 170 000 hectares dans les départements de la Drôme et de l'Isère, abrite un site national historique de la Résistance. Dès 1940, ces hauts plateaux karstiques, très difficiles d'accès, servent de refuge aux victimes des mesures discriminatoires prises par le gouvernement de Vichy. La Résistance s'y organise de manière effective en 1943, avec la complicité de la population. Un an plus tard, après le débarquement allié du 6 juin 1944, quatre mille maquisards tiennent tête aux troupes allemandes du général Karl Pflaum stationnées à Grenoble. Les combats acharnés dureront une semaine, entraînant la mort de six cents résistants et de nombreux civils.

Page de gauche

• Vision insolite des chantiers de Saint-Nazaire.
Ces chaînes puissantes destinées aux ancres des navires rappellent que le plus grand paquebot du monde, le britannique *Queen Mary 2*, a été construit dans les Chantiers de l'Atlantique à Saint-Nazaire (Loire-Atlantique). Son baptême a eu lieu fin 2003. Le paquebot, long de 345 mètres pour 74 mètres de haut, dont 62 émergés, jauge 150 000 tonneaux. Ses moteurs totalisent 154 000 chevaux et l'énergie produite à bord permettrait d'éclairer une ville de 300 000 habitants. Le *Queen Mary 2* peut accueillir 2 500 passagers et 1 250 membres d'équipage.

Ci-dessous

• Bennecourt, site gaulois.
Les prairies bordées de peupliers autour de la commune de Bennecourt (Yvelines) recèlent en sous-sol de nombreux vestiges gaulois. Un sanctuaire datant de 200 avant Jésus-Christ y a déjà été retrouvé.

Pages 300 et 301

• La Champagne, un patchwork agricole.
Parmi les treize départements qui pourraient suffire à l'autosuffisance alimentaire de la France, celui de la Marne, au cœur de la région Champagne-Ardenne, occupe une place de premier rang, non seulement dans la production de blé, mais également de luzerne, d'orge, de pois protéagineux et de betteraves sucrières… D'où la variété des cultures telles qu'elles se déploient ici à proximité de Châlons-en-Champagne. Ce département, de tradition céréalière, perpétue également la culture traditionnelle de la vigne pour les vins de champagne, qui représentent 40 % des exportations du département et qui emploient directement ou indirectement plus de 30 000 personnes dans la région.

Ci-contre

● **Les ruines du Nouveau Windstein.**
L'ancien château fort du Nouveau Windstein dresse ses murs ruinés au cœur de la forêt, à quelques kilomètres de Niederbronn-les-Bains (Bas-Rhin). Cette forteresse médiévale construite au XIVe siècle contribuait à la défense de l'Alsace jadis germanique, avant d'être détruite en 1676 par les Français qui annexent la région deux ans plus tard.

Ci-dessous

• Le Centre Beaubourg, à Paris.
Près de l'ancien quartier des Halles, dans le IVe arrondissement, le Centre culturel Beaubourg (également baptisé Georges-Pompidou, en hommage au président défunt qui a souhaité sa création) a reçu plus de 150 millions de visiteurs depuis son ouverture, le 2 février 1977. Construit sur 2 hectares de terrain par les architectes internationaux Renzo Piano, Richard Rogers et Gianfranco Franchini, ce bâtiment développe une surface de 103 305 mètres carrés sur sept niveaux de verre et d'acier, soit 15 000 tonnes de métal pour 11 000 mètres carrés de surfaces vitrées. Les gaines techniques, arrimées aux façades, se distinguent par des couleurs différentes : le bleu pour la climatisation, le vert pour les circuits d'eau, le jaune pour les systèmes électriques et le rouge pour la sécurité, les pompes à incendie notamment. Les travaux de rénovation, achevés en 2000, ont coûté environ 88 millions d'euros.

Page de droite

• La cathédrale de Rodez.
Sculpté en dentelles dans une pierre de grès rose, le clocher gothique flamboyant de la cathédrale de Rodez (Aveyron) domine à 87 mètres du sol les toits de la capitale du Rouergue. Cet édifice religieux, parmi la centaine de cathédrales françaises sièges d'un diocèse et toujours consacrées au culte, rappelle les origines profondément catholiques du pays. Cependant, la France, longtemps considérée comme la « fille aînée de l'Église », perd sa ferveur spirituelle. Dix pour cent seulement de la population continue à se rendre à la messe et l'Église elle-même a du mal à ordonner des prêtres.

Ci-dessous

• Pêche au carrelet en Charente-Maritime. Cette cabane sur pilotis située dans l'estuaire de la Gironde, à Talmont (Charente-Maritime), est réservée à la pêche traditionnelle au carrelet. Les amateurs prennent toutes sortes de poissons dans ce filet carré, monté sur deux cerceaux et attaché à une perche articulée : des anguilles, des muges ou mulets, de petits bars ou de la lamproie... Poissons d'eau douce et poissons d'eau de mer fréquentent en effet cet estuaire, formé par la confluence de la Dordogne et de la Garonne, où la marée se fait sentir sur une centaine de kilomètres.

L'implication de l'homme dans la nature est ici très discrète. Rien à voir avec les filets pélagiques qui ramassent vingt tonnes de poissons à chaque palanquée... - PPDA

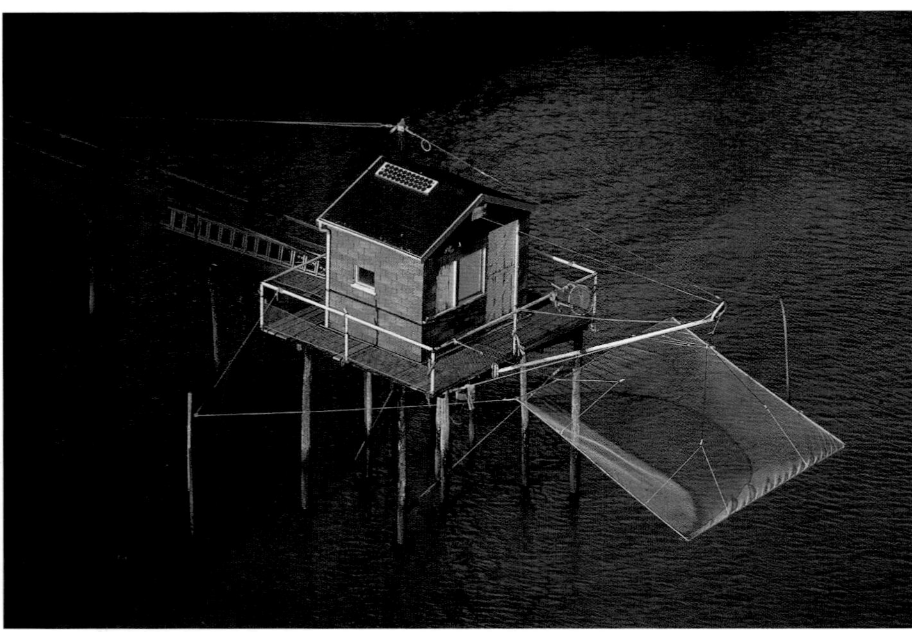

Ci-contre

• Saint-Malo au rythme du flot touristique. Avec des marées parmi les plus grandes d'Europe, la célèbre cité corsaire (50 000 habitants en Ille-et-Vilaine) est devenue un haut lieu touristique en Bretagne, au point que cette affluence estivale préoccupe aujourd'hui une partie de ses habitants. La ville, enrichie aux XVIIe et XVIIIe siècles par la « course » qui permettait légalement aux corsaires de faire main basse sur les bateaux ennemis, notamment anglais, a été partiellement détruite durant la Seconde Guerre mondiale. Reconstruite à l'identique, avec ses remparts et son château devenu musée, elle attire chaque année environ 2 millions de visiteurs qui se concentrent volontiers dans les rues Porcon et Broussais, l'axe principal de la ville transformé en galerie marchande. Cette « Mont-Saint-Michellisation », selon l'expression des autochtones, s'effectue au détriment des commerces de proximité, peu à peu repoussés extra-muros où ils font défaut aux Malouins une fois l'été fini.

Page 308

• Les effets de la pollution à Lyon. L'agglomération lyonnaise (1 260 000 habitants), dans le Rhône, subit les effets de la pollution provoquée aussi bien par les voitures que par les émissions de gaz industriels dans le sillon rhodanien. Les immeubles de la Croix-Rousse émergent ainsi des vapeurs qui pèsent sur la ville. Mais la pollution à l'ozone, de plus en plus fréquente en été, est invisible. Elle résulte de l'action du soleil sur les rejets de l'automobile ou de l'industrie et s'accroît avec les fortes chaleurs. D'après la Commission européenne, cette pollution serait chaque année à l'origine de 21 400 décès prématurés en Europe.

Page 309

• Une maison forestière en Alsace. La région d'Alsace abrite 2 % de la surface forestière française, soit 312 000 hectares de forêts publiques, domaniales ou privées, plantés à 57 % de feuillus (chênes, hêtres notamment) et à 43 % de résineux (sapins, pins sylvestres et épicéas). On y effectue 8 % des sciages français. Depuis 2002, beaucoup de ces forêts alsaciennes ont intégré le Programme européen des forêts certifiées (PEFC) qui atteste d'une gestion forestière conforme aux politiques en cours de développement durable.

Ci-contre

• Le viaduc ferroviaire de Chamborigaud. Construit en dix-neuf mois par la compagnie du chemin de fer PLM, le viaduc de Chamborigaud (Gard), inauguré le 12 août 1867, domine la vallée du Luech à 52 mètres de hauteur. Toujours en service, il voit passer une dizaine de trains par jour empruntant la ligne Paris-Nîmes, par les Cévennes. Sa courbe très serrée oblige à la prudence et les locomotives roulent ici à 20 km/h.

Page de gauche

● **Le pont du Gard.** Construit au début de notre ère avec des pierres extraites des carrières environnantes et pesant pour certaines plus de 6 tonnes, le pont romain du Gard enjambe la rivière capricieuse du Gardon sur une longueur de 273 mètres. S'élevant à 49 mètres au-dessus du sol, c'est le plus haut pont-aqueduc subsistant de l'époque antique. Il servait à acheminer l'eau entre les villes d'Uzès et de Nîmes sur une distance de cinquante kilomètres, avec un débit moyen de 20 000 mètres cubes par jour. Inscrit par l'Unesco au patrimoine mondial de l'humanité en 1985, il attire plus d'un million de touristes par an.

Ci-contre

● **Le canal du Midi.** Creusé sous le règne de Louis XIV entre 1666 et 1681, le canal du Midi est le plus ancien d'Europe encore en activité. Cette voie d'eau, conçue par l'ingénieur Pierre-Paul de Riquet, a mobilisé douze mille ouvriers pour courir sur 241 kilomètres entre Toulouse (Haute-Garonne) et l'étang de Thau (Hérault), reliant ainsi l'Atlantique à la Méditerranée *via* la Garonne et son canal latéral. Inscrit au patrimoine mondial de l'humanité en 1996, le canal du Midi a perdu son importance économique au profit de nombreuses « pénichettes » de tourisme.

Pages précédentes et ci-contre

● **L'agriculture, grande consommatrice d'eau.** Les agriculteurs consomment en moyenne plus de la moitié de l'eau disponible en France pour arroser les récoltes avant de moissonner les champs de blé (ici, dans la Beauce) ou de maïs, une culture qui exige 500 litres d'eau pour fournir 1 kilo d'épis. La sécheresse de l'été 2005 a contraint soixante-six départements français à réduire leurs dépenses hydriques et beaucoup de paysans s'interrogent sur les moyens de stocker l'eau de pluie, sachant qu'un tiers des précipitations annuelles s'écoule sans être exploité.

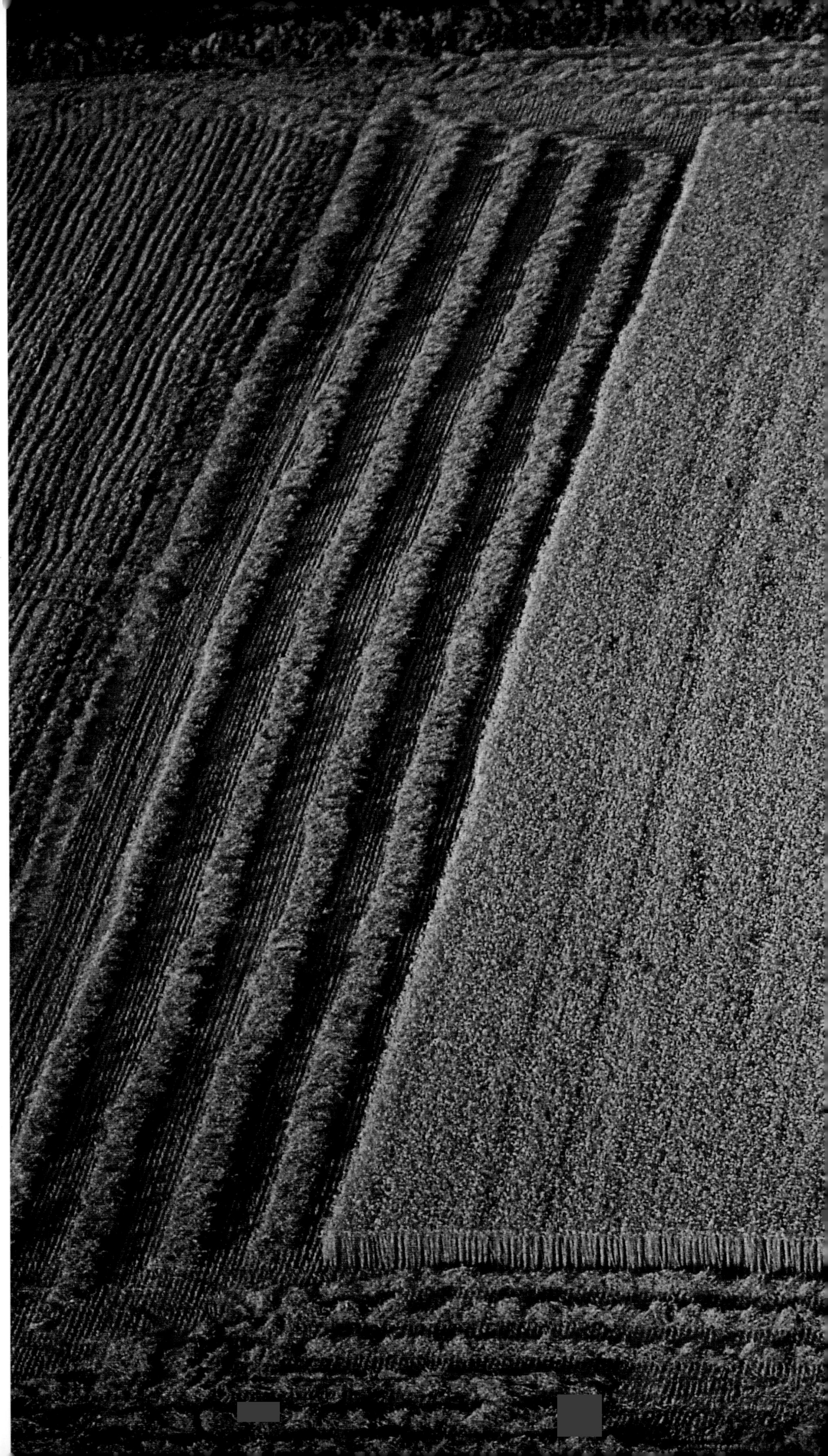

Ci-contre

• Le puy de Dôme en quête de protection. Vénéré depuis l'Antiquité avec un temple gallo-romain dédié à Mercure, le puy de Dôme présente aujourd'hui des signes de fragilité écologique. Si les moutons sont ici chez eux, l'essor du tourisme, avec quelque 520 000 visiteurs par an, menace les flancs déjà érodés du vieux volcan. Les chemins pédestres sont à réaménager et les pentes du massif à revégétaliser. Des projets d'aménagement visent à introduire le puy de Dôme dans le réseau des « Grands sites de France », créé en 2000 pour le développement d'un tourisme durable.

Double page suivante

• Les eaux limpides du golfe de Murtoli, en Corse. Le golfe de Murtoli, en Corse, préserve sa tranquillité sauvage et seules quelques rares maisons s'accrochent aux rochers. Ici, les eaux sont transparentes et le maquis embaume, dégageant des parfums de lentisques. Avec ses plages de sable fin, constituant des mouillages idylliques pour les voiliers, le golfe de Murtoli exprime à lui seul toute la magie de l'île de Beauté.

Ci-contre

• Les ruines d'Occi, village corse abandonné. Victime avant l'heure de la désertification rurale et abandonné par ses habitants au XIXe siècle, le village d'Occi dresse ses ruines à proximité de Lumio, en Balagne (Corse). Une association, animée notamment par l'actrice Laetitia Casta, s'est constituée pour le sauvegarder et restaurer son église. On y célèbre à présent des offices et lors des fêtes religieuses, la statue de saint Nicolas est portée en procession dans les anciennes ruelles. Cependant, l'accès au village d'Occi reste interdit aux voitures. Seul, un chemin de terre continue d'y conduire, comme autrefois.

Double page suivante

• Les lacs-réservoirs de la forêt d'Orient. Trois lacs-réservoirs, d'une superficie totale de 5 000 hectares dans le parc naturel régional de la forêt d'Orient (Aube), permettent de réguler le cours de la Seine et celui de la rivière Aube, évitant sécheresses et inondations en aval, notamment vers Paris. Un système de vannes permet d'écrêter les crues d'hiver et de printemps en stockant l'eau ; à l'inverse, celle-ci est relâchée pour soutenir l'étiage en été et à l'automne. Inauguré en 1966, le lac-réservoir Seine peut contenir 205 millions de mètres cubes d'eau ; ceux de l'Aube, aménagés en 1990, 170 millions de mètres cubes. Ces plans d'eau font aussi la joie des amateurs de sports nautiques.

Pages 326-327

• La pagode de Chanteloup. Seul vestige d'un château ayant appartenu au duc de Choiseul, ministre disgracié de Louis XV, la pagode de Chanteloup (Indre-et-Loire) se dresse dans un parc de 14 hectares en lisière de la forêt d'Amboise. D'inspiration chinoise, elle a été construite en 1755 par Nicolas Le Camus et restaurée en 1910 par l'architecte René-Édouard André. Haute de 44 mètres, cette pagode comporte sept coupoles de pierre édifiées les unes sur les autres. Unique en son genre, elle constitue l'un des rares exemples des « folies » à la mode à la fin du XVIIIe siècle.

Cette pagode est une « folie » du XVIIIe siècle, une époque où les gens avaient le temps et les moyens de construire des choses peut-être gratuites mais qui sortaient de l'ordinaire. - YAB

Pages 328-329

• Pendant et après l'inondation. Les eaux de la rivière Saône, un puissant affluent du Rhône long de 480 kilomètres, grossissent durant la période hivernale, entre novembre et avril. Ces crues, dites « de plaine » par les hydrologues, sont suffisamment lentes pour permettre de maîtriser les risques liés aux inondations. La Saône n'en sort pas moins largement de son lit, noyant fermes ou champs alentour comme ici entre Saint-Loup-de-la-Salle et Lux (Saône-et-Loire). Récemment, la Saône a connu plusieurs crues spectaculaires : en janvier 1955, en janvier 1999 et en mars 2001.

Ci-dessous

• L'ascenseur à bateaux de Saint-Louis-Arzviller. Cet ascenseur à bateaux, situé entre Saint-Louis et Arzviller, sur le canal de la Marne au Rhin, en Moselle, a été mis en service en 1969, remplaçant pour les mariniers le passage contraignant d'une série de dix-sept écluses qui exigeait une journée. Désormais, quelques minutes suffisent pour faire monter ou descendre de plus de 40 mètres les péniches, installées dans un chariot-bac glissant à la vitesse de 4 m/s sur un pan incliné grâce à deux contrepoids de 450 tonnes chacun. Cette énorme machine, dont on ne compte que trois exemplaires au monde (une en Belgique, l'autre en Sibérie), est actionnée par deux techniciens seulement.

Ci-contre

• L'étang de Gondrexange, en Lorraine. Les étangs du pays de Sarrebourg s'étendent en Moselle à proximité des canaux de la Marne au Rhin et des Houillères de la Sarre. Ils ont été créés au Moyen Âge par des moines soucieux d'exploiter leurs ressources piscicoles. Aujourd'hui, l'étang de Gondrexange (640 hectares) est toujours un lieu de pêche réputé, avec des sandres, des brochets et des gardons frétillants dans ses eaux peu profondes, mais aussi un site privilégié pour les sports nautiques, avirons et planches à voile à l'exclusion de tout canot à moteur. Le tourisme fluvial sur les canaux voisins connaît également un certain essor.

Ci-contre

● **La réserve naturelle du banc d'Arguin.** Situé à l'entrée du bassin d'Arcachon (Gironde) entre la dune du Pilat et la pointe du Cap-Ferret, le banc d'Arguin, dont les contours se modifient sans cesse au gré des courants, déploie ses sables blonds sur environ 4 kilomètres de long et 2 kilomètres de large à marée basse. Classé réserve naturelle depuis 1972, il accueille de très nombreux oiseaux migrateurs et quantité de sternes caugeks ou « hirondelles de mer » viennent y nicher au printemps.

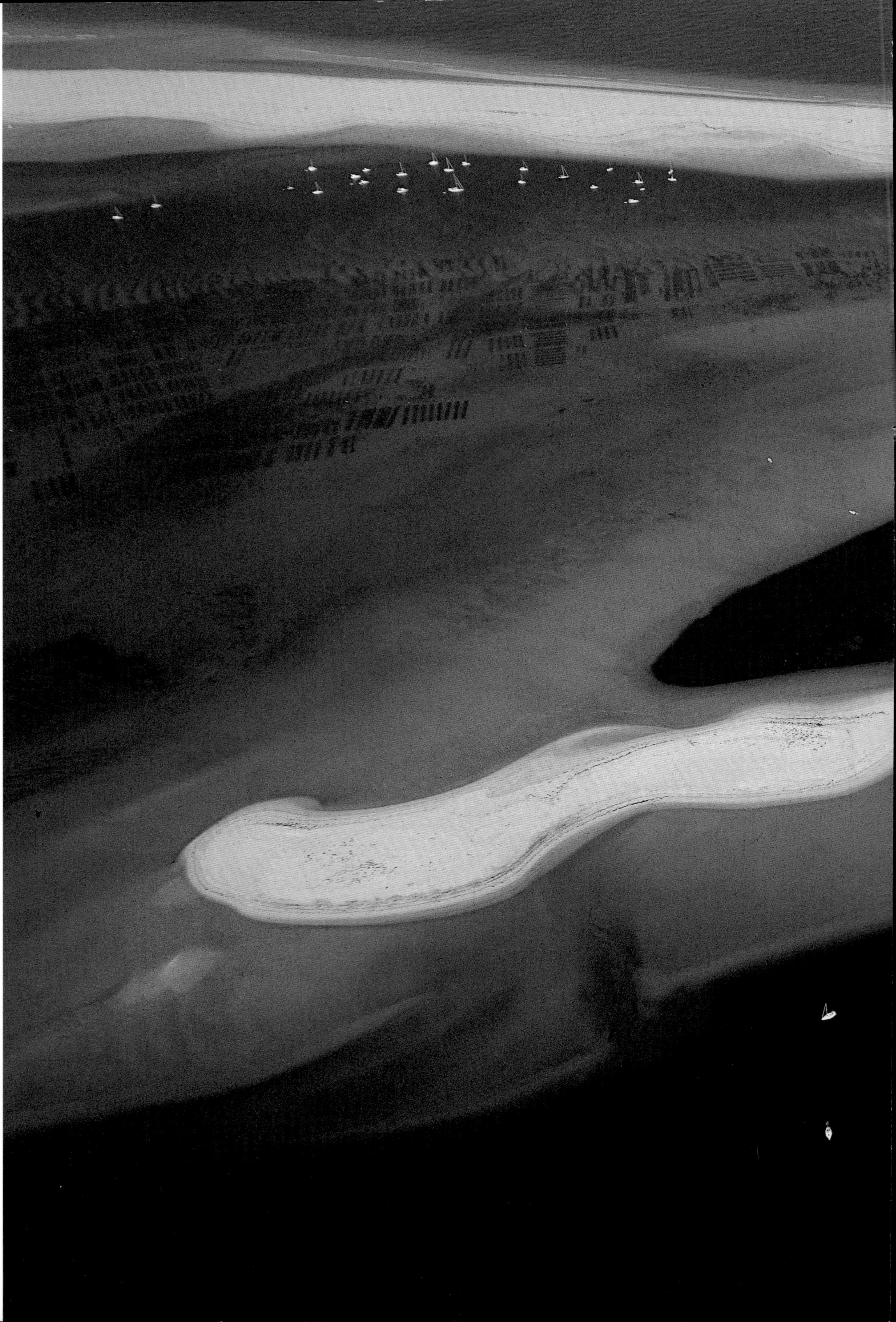

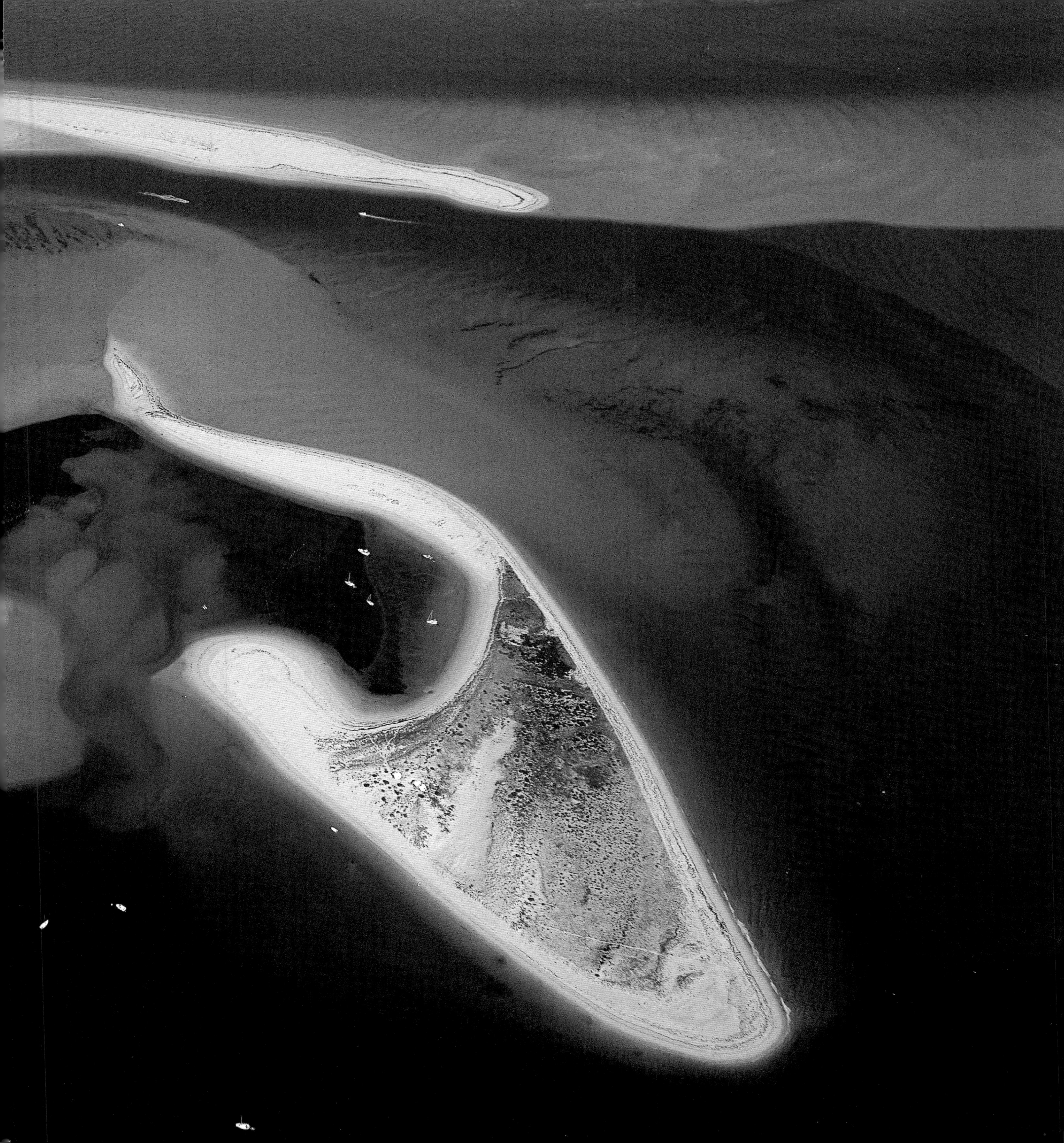

Ci-contre

• L'aiguille du Midi, dans les Alpes.
L'aiguille du Midi (Haute-Savoie) se dresse à 3 842 mètres d'altitude au cœur du massif alpin et commande l'accès à la célèbre Vallée blanche. L'idée de raccourcir la route vers le mont Blanc (4 808 mètres) par un « téléphérique aérien » reliant la vallée de Chamonix à ce site de haute montagne, soit environ 3 000 mètres de dénivelé, a germé en 1905. Le rêve devient réalité en 1958, avec un tracé en deux tronçons, le second empruntant un câble d'acier de 1 850 mètres de long, tendu au-dessus du vide. Le téléphérique de l'aiguille du Midi, modernisé depuis 1991, transporte cinq cent mille passagers par an, au rythme moyen de six cents personnes à l'heure.

Ci-contre

• Dix mille cœurs pour un ruban rouge. Symbole d'une France généreuse, cette opération humanitaire, organisée le 25 septembre 2004 par la ville du Mans, a réuni des milliers de personnes dans un champ, dans la Sarthe. Les participants à cette chaîne humaine étaient tous vêtus d'un tee-shirt rouge et portaient sur la tête une casquette de même couleur pour former ce cœur écarlate. Les fonds récoltés à cette occasion étaient destinés à financer la lutte contre le sida au Mali.

Pour aider un village du Mali frappé par le sida, une foule immense s'est mise en place pour former, au milieu d'un champ près du Mans, ce cœur rouge, signe de générosité et de compassion. Je suis content de terminer le livre sur cette photographie. - YAB

Remerciements

Pour que cet ouvrage puisse paraître, nombreux ont été ceux qui nous ont aidés aussi amicalement qu'efficacement, il nous est impossible de les citer sans en oublier. Un grand merci du fond du cœur à tous et à chacun pour leur concours documenté, sympathique et talentueux.

Tout d'abord je tiens à remercier ma « famille photographique » FUJI et CANON pour toutes les qualités humaines et le professionnalisme de leurs équipes et, pour la chaleureuse amitié qui nous lie depuis de nombreuses années.

Tous les pilotes d'hélicoptères, qui m'ont accompagné, ont largement contribué à la recherche de « la bonne lumière et du bon angle ».
Merci à tous de leur patience et de leur talent :
Willy Gouère, Franck Arrestier, Jean-Luc Scaillierez.
Et aussi :
Richard Sarrazy, Alexandre Antunès, Antoine de Marsily, Francis Coz, Bernard Séguy, Gustave Nicolas, Michel Beaujard, Dominique Cortesi, Alain Morlat, Serge Rosset, Michel Angade, Daniel Manoury, Thierry Debruyère, Gilbert Giacometti, Raphaël Leservot, Jean Roussot.

Dans la liste des nombreux assistants qui ont participé à ce long travail, je tiens à remercier particulièrement mes deux complices Françoise Jacquot et Françoise Le Roch'-Briquet pour tout le travail de recherche effectué dans la « réserve d'images » engrangées depuis près de 15 ans ! Sans oublier Isabelle Bruneau et Isabelle Lechenet.
Ainsi que :
Franck Charel, Marc Lavaud, Franck Lechenet et Frédéric Lenoir.

J'aimerais aussi ne pas oublier tous les services préfectoraux et administratifs que j'ai parfois « bousculé » pour obtenir des autorisations en 24 heures et qui se sont toujours montrés très coopératifs.

Je tiens également à remercier tout particulièrement Olivier Fontvieille, le directeur artistique, qui a accepté de retarder ses vacances pour aller jusqu'au bout de cette aventure avec moi, ainsi que Malika Rehailia.

J'évoquerai aussi la patience et le professionnalisme des équipes d'Arts Graphiques du Centre à Tours et tout particulièrement Éric Frette, Jean-Claude Bellenfant, Christelle Pichois et Valérie Moreau.

Enfin j'aurai une très affectueuse pensée pour Isabelle Grison des Éditions de La Martinière qui a vaillamment résisté à mes doutes, accepté mes exigences et m'a soutenu dans mes interrogations… Sans oublier Brigitte Govignon, Juliette de Trégomain et Dominique Escartin.

La plus grande partie des photographies de cet ouvrage a été réalisée sur film Fuji Velvia (50 ASA). J'ai travaillé principalement avec des boîtiers CANON EOS 1N et des objectifs CANON série L. Quelques photographies ont été réalisées avec un PENTAX 645N.

Les photographies de Yann Arthus-Bertrand ainsi que celles de François Jourdan et Claudius Thiriet
sont diffusées par l'agence Altitude, Paris, France.
www.altitude-photo.com
www.yannarthusbertrand.org

Toutes les photographies de *Une France vue du ciel*
sont de Yann Arthus-Bertrand sauf :
Pages 125, 130-131 : © Claudius Thiriet/Altitude
Pages 252-253, 262, 264-265, 296-297, 310-311 : © François Jourdan/Altitude

Conception et réalisation : Rampazzo & Associés
Olivier Fontvieille - Malika Rehailia

Connectez-vous sur : www.lamartiniere.fr

Achevé d'imprimer en septembre 2005
sur les presses de Mondadori à Vérone, Italie
ISBN : 2-7324-3306-3
Dépôt légal : octobre 2005
Imprimé en Italie